Виталий

Говорим по-американски

Практическое пособие по развитию разговорных навыков

Let's Talk American

A Practical Guide to American English Everyday Conversations

by Vitaly Leventhal

EDULINK
New York
2008

Vitaly Leventhal

Let's Talk American
A Practical Guide to American English Everyday Conversations
for Russian-speaking Students

ISBN 0-9660505-9-2

Layout by Olga Klimenko
Cover design by Ivan Grave
Photo by Mark Kopelev

Published by EDULINK
New York, NY 10040, USA

Введение

Дорогие друзья!

Цель этого курса — помочь вам овладеть разговорным английским. Только тот, кто уже пожил в Америке, осознал в полной мере всю сложность этой задачи. Начинающим подчас кажется, что хорошо бы сначала научиться разговору, оставив все хитрости языка на потом. На самом же деле, разговор — это и есть самый сложный языковой навык, поскольку в нем задействованы все основные компоненты языка: грамматика, словарный запас, произношение и понимание на слух.

Что же можно противопоставить зубрежке — самому неэффективному способу изучения языка? Во-первых, осмысленный подход к грамматике, опору на логику и здравый смысл, поскольку целью является не выучивание правил, а понимание того, как строятся основные языковые конструкции.

Во-вторых, знакомство со словами и выражениями, отражающими реалии современной американской жизни, которым зачастую нелегко подыскать перевод. При этом, опять же, опыт тех, кто осваивал язык в Америке, показывает — механическое заучивание отдельных слов мало что дает. Слова в языке «очень не равны между собой»; наиболее активные слова языка (такие как GET, MAKE, WAY и др.) обладают многими значениями и оборотами, без которых нельзя и шагу ступить; значения слов зачастую переплетаются как ветви растущих рядом деревьев — эта книга помогает добиться активного усвоения английской лексики

И, наконец, мы предлагаем специальную технику активного тренинга речи, которая поможет закрепить наработанные разговорные конструкции в активной памяти — это самостоятельный перевод фраз с русского на английский с последующей самопроверкой (ему посвящен последний раздел каждой главы).

Я желаю вам успехов на нелегком, но увлекательном пути изучения английского языка.

Автор

Оглавление

Air Travel
Путешествуйте самолетом

Let's Study

1. Построение английских вопросов

Самая большая трудность английской грамматики для русскоязычных учеников — построение вопросов и отрицаний. Речи без них не существует, составлять их наугад, «методом тыка», как невольно пытаются начинающие, — безнадежно. По этой теме проходит как бы водораздел строя русской и английской речи — в ней необходимо разобраться.

В английском языке (и в этом полная аналогия с русским) глаголы различаются по частоте употребления. Так, глагол **to be** (быть, находиться, являться) встречается едва ли не столь же часто, как все остальные глаголы вместе взятые.

Однако в английском языке (и здесь полный контраст с русским) это количественное различие переходит в качественное: несколько самых важных глаголов подчиняются другим правилам, нежели все остальные.

Итак, **п р и н ц и п 1**: глаголы английского языка обладают неравными грамматическими возможностями и делятся по этому признаку на две группы: сильные и слабые. Сильных глаголов всего 10, из них широко употребляются всего шесть (**to be, can, must, may, shall, will**); любые формы этих глаголов, такие как **could** или **should**, также являются сильными. Все остальные глаголы — слабые. В русском языке такого деления нет, с точки зрения грамматики глаголы в нем равноправны. А в английском это различие маскируется еще и тем, что в простых утвердительных фразах все глаголы ведут себя, в общем, одинаково:

He is a pilot. We can fly. You may come in. — (Это сильные глаголы.)

I go to Florida. We travel together. They watch TV. — (Это слабые глаголы.)

Принципиально по-разному они ведут себя в целом ряде ситуаций, о которых лингвисты в Англии и Америке написали целые тома. Есть при этом одно обстоятельство, важное только для нас: это как раз те места, где «спотыкаются» русскоязычные ученики. Поэтому не будем мудрить, назовем их грамматическими сложностями или барьерами и сформулируем **п р и н ц и п 2**: сильные глаголы преодолевают грамматические барьеры самостоятельно, а слабые этого сделать не могут и нуждаются в помощнике, который называется вспомогательным глаголом.

Первый пример грамматической сложности — построение вопросов.

Правило тут такое: надо поменять местами подлежащее и сказуемое (т.е. установить обратный порядок слов). Иначе говоря, глагол должен выйти вперед. Для сильных глаголов здесь нет проблем:

This is interesting. — Is this interesting? — Это интересно. — Это интересно?

You can do it. — Can you do it? — Ты можешь сделать это. — Ты можешь сделать это?

Слабые глаголы не могут перейти в предложении на другое место. Но ведь правило требует, чтобы впереди подлежащего появился глагол. И язык пошел таким путем: появляется вспомогательный глагол, задача которого в том, чтобы встать впереди подлежащего и этим показать, что предложение является вопросом.

They sleep. — Do they sleep? — Они спят. — Они спят?

I want to cancel my flight. — Do you want to cancel your flight? — Я хочу отменить полет. — Вы хотите отменить полет?

Обычно в роли вспомогательных выступают сильные глаголы, но **to do** почему-то не удостоился этого звания. Поэтому в предложении он может фигурировать дважды — в грамматической и в смысловой роли:

What do you do for a living? — Чем вы занимаетесь (на что живете)?

На этом месте можно сделать два дополнительных замечания.

1) Сильный глагол остается таковым в любой своей форме (**shall — should, will — would**, а у **to be** таких форм несколько):

Was he in London last week? — Был ли он в Лондоне на прошлой неделе?

2) Удивительная история произошла с глаголом **to have**. В британском варианте языка он всегда был сильным, поэтому он используется как вспомогательный для времен группы **Perfect**. Однако американцы «разжаловали» его в слабые:

Do you have change? — У вас есть сдача?

Do you have any questions? — У вас есть вопросы?

2. Построение английских отрицаний

Теперь обратимся к отрицаниям. Если в предложении есть сильный глагол, то для построения отрицания нужна только частица **not** после него.

He is not a captain. — You must not smoke. — Он не капитан. — Вы не должны курить.

Если же сильного глагола нет, то перед слабым глаголом появляется вспомогательный **to do**, за которым и пристраивается частица **not**.

I do not understand you. — They do not speak English. — Я Вас не понимаю. — Они не говорят по-английски.

Нам остался еще один серьезный момент. Вы, наверно, заметили, что слабые глаголы появлялись на этот раз только в 1 и 2 лице — ведь в 3 лице есть еще дополнительная сложность (окончание -**s**). Итак, что же делать, если надо преодолеть сразу два барьера? Ответ на этот вопрос и звучит как **п р и н ц и п 3**: если слабый глагол, уже воспользовавшись помощью вспомогательного, нуждается еще в каком-либо изменении своей формы, то все эти дополнительные изменения берет на себя вспомогательный глагол.

I smoke. — I do not smoke. — He does not smoke. — Я курю. — Я не курю. — Он не курит.

Where do you live? — Where did she go? — Где ты живешь? — Куда она пошла?

В заключение обратите внимание на одну деталь. В вопросительном предложении располагаться впереди глагола (сильного или вспомогательного) может только вопросительное слово. Если это слово привязано к существительному (например, какой дом? сколько детей?), то разделить их нельзя и оба они становятся впереди.

What languages can you speak? — Какие языки ты знаешь?

How many tickets do you want? — Сколько билетов ты хочешь?

Однако, проскочив вперед, существительное может прихватить с собой и прилагательные. Так что не удивляйтесь, если иногда собственно вопрос оказывается где-то в конце фразы.

3. Давайте будем вежливы!

Нам надо обсудить одну из самых важных особенностей английского языка — «словарные семьи». Чтобы эта тема не показалась скучной, возьмем самые обиходные слова. Вот английское **please**, которое только начинающий изучать язык может приравнять к русскому «пожалуйста»:

(**v** — глагол) **please** — доставлять удовольствие;

(**n** — существительное) **pleasure** — удовольствие;

(**a** — прилагательное) **pleasant** — приятный.

I play the violin to please myself. — Я играю на скрипке для собственного удовольствия.

You cannot please everybody. — Всем не угодишь.

He is very pleased with his new car. — Он очень доволен своей новой машиной.

He came in with a pleased expression on his face. — Он вошел с довольным выражением на лице.

Когда **please** употребляется в обращении, оно несет оттенок просьбы и только в этом случае переводится как «пожалуйста»:

Close the window, please. Please come in. — Закройте окно, пожалуйста. Пожалуйста, входите.

(Обратите внимание, что запятой это слово отделяется только в конце предложения). Однако, русское «пожалуйста» употребляется еще в двух ситуациях, которые не имеют отношения к просьбе, а следовательно, и к слову **please**:

Give me the book. — Here you are. — Дай мне книжку. — Вот, пожалуйста.

Thank you. — You're welcome. — Спасибо. — Пожалуйста.

В этом случае можно еще сказать:

It was nothing. — Не о чем говорить. (Не за что.)

Don't mention it. — Не стоит благодарности.

Но так говорят, когда речь идет о значимом поступке, а в обыденной ситуации (вы придержали дверь для кого-то) мы просто киваем в ответ. Для американцев же не ответить на любую благодарность — невежливо. Эта часть этикета обозначается словами "Returning Thanks" и содержит ряд непривычных для нас оборотов:

You're very (most) welcome! My pleasure. The pleasure was mine.

Аналогично, слово **sorry** лишь частично соответствует русскому «извините». Вот его «словарная семья»:

(**v**) **to be sorry** — сожалеть;

(**n**) **sorrow** — печаль;

(**a**) **sorrowful** — печальный.

I'm sorry to say he is ill. — К сожалению, должен сказать, что он болен.

I'm deeply sorry for her. — Мне ее глубоко жаль.

Sorry to hear that. — Очень жаль.

В ряду извинений разной степени выразительности **sorry** — самое неприхотливое. Приведем более весомые выражения:

I beg your pardon. — Простите, ради Бога.

I'm terribly sorry. — Я ужасно огорчен.

I offer my most sincere apologies. — Приношу самые искренние извинения.

4. Американские приветствия

Неформальность американских приветствий всем известна. Незнакомым людям говорят **Hello**, едва знакомым — **Hi**.

Hello, guys! What's new?

Hi! How are you? — Just fine.

Вот еще ряд выражений, соответствующих нашему «Как дела?»:

How are things? How is everything? How is it going?

How have you been? — Как поживаете?

Часто встречаются также обороты типа «Что новенького?»:

What's new? What's up? What's going on? What's happening?

Отвечать, как всем известно, здесь принято в бодром тоне:

I'm fine. Just great! Couldn't be better!

Бывают, конечно, и менее оптимистичные реплики:

So-so. — Так себе.

Could be worse. — Могло быть хуже.

Getting by. — Понемножку.

Same as always. — Как всегда.

Not great. Not so well. I've seen better days. — Бывали времена получше.

Kind of lousy. — Довольно-таки паршиво (это, конечно, неформальный оборот).

Любопытная деталь: замечали ли вы, как русскоязычные люди упорно «поздравляют» американцев с праздниками, часто получая в ответ удивленный взгляд? Здесь подобного обычая нет; в таких случаях говорят просто:

Happy holiday! Happy New Year! (С праздником! С Новым Годом!),

поздравляют же с конкретными событиями:

Congratulations on the birth of your son! (обратите внимание на предлог).

Необычно переводится слово «молодец!»:

Good job! Good for you! Well done! — Ребята! Вы все у меня сегодня молодцы!

Go ahead! означает разрешение сделать что-либо, высказанное в ободряющем тоне:

May I take your book? — Go ahead! — Можно я возьму вашу книгу? — Пожалуйста! (Это уже четвертый перевод).

Иногда можно услышать и противоположную реакцию:

Forget about it! Don't even think about it! — И думать забудь про это!

Save your breath! = Not in your wildest dreams! — И не мечтай!

Есть также интересные выражения, передающие одобрение:

That's just what the doctor ordered. — То, что доктор прописал.

That suits me to a T. — Это подходит мне точь-в-точь.

(It gets) two thumbs up! — Высший класс! (Эта идиома очень популярна в рекламе кинофильмов).

И в заключение еще одно напутствие — как заряд оптимизма:

Say cheese! — Улыбнись! Так в старину говорили фотографы. Кстати, это слово напоминает нам, как энергично американцы артикулируют звуки: долгий звук «и-и» должен выглядеть как улыбка.

Section 1

First you have to book your tickets / Сначала надо заказать билеты

Words

one-way ticket	билет в одну сторону
round-trip ticket	билет туда и обратно
ticket office	билетная касса
airfare	стоимость полета
nonrefundable tickets	билеты, которые нельзя вернуть
standby tickets	билеты без места
flight cancellation	отмена рейса
frequent flyer program	скидка на билеты для тех, кто часто летает
coach = tourist class = = economy class	туристический класс
direct flight	прямой рейс
non-stop flight	беспосадочный рейс
connecting flight	рейс, на который вам надо пересесть

Expressions

to buy tickets in advance	покупать билеты заранее
to book a flight	зарезервировать билеты
to get tickets at a discount	получить билеты со скидкой
to change planes	сделать пересадку
to sign up for a frequent flyer program	подписаться на программу «частых полетов»
Are there seats available?	Есть ли свободные места?
The flight is booked.	Билеты на этот рейс проданы.

Dialogue

Talking to a travel agent

— I need two round-trip tickets from Boston to Miami.
— Do you want economy or business class?
— Economy, please. I'm traveling on a limited budget.
— Okay, but you have to realize that these tickets are nonrefundable.
— But what do I do if I can't go for some reason?
— You can buy flight insurance.

Разговор с агентом турфирмы

— Мне нужно два билета в оба конца из Бостона в Майами.
— Вы хотите туристический или бизнес-класс?
— Туристический, пожалуйста. Мой бюджет ограничен.
— Хорошо, но учтите, что эти билеты нельзя вернуть.
— Но что мне делать, если я по какой-то причине не смогу поехать?
— Вы можете купить страховку полета.

Section 2

The boarding is about to start / Начинается регистрация

Words

check-in counter	стойка регистрации
item of luggage	место багажа
baggage cart	багажная тележка
ground transportation	стоянка наземного транспорта
carry-on luggage	ручная кладь
boarding	посадка
boarding pass	посадочный талон

arrival time	время прибытия
departure time	время отправления

Expressions — *выражение*

The flight has been delayed	Рейс отложен/задерживается.
The flight has been cancelled.	Рейс отменен.
The flight is on time.	Рейс выполняется по расписанию.
The boarding will start soon.	Посадка скоро начнется.
To board passengers in rows 10 to 20.	Запускать на посадку пассажиров на места с 10 по 20 ряд.
You can carry on this bag.	Эту сумку вы можете пронести как ручную кладь.
Check this suitcase.	Сдайте этот чемодан в багаж.

Dialogue

At a check-in counter

— Could you please give a window seat to my wife?
— I'm sorry to tell you, we have no window seats available.
— Would you mind sitting near the aisle?
— That's fine. And also, I would like to carry on this bag.
— Okay, you can take it along with you.
— How much time do we have before the boarding starts?
— Don't worry, you have plenty of time.
— Here are your tickets and the boarding pass.
— Thank you so much.
— You're welcome.

У стойки регистрации

— Не могли бы вы дать моей жене место у окна?
— К сожалению, мест у окна нет.
— Ничего, если вам придется сидеть рядом с проходом?
— Ладно. Еще я бы хотел пронести эту сумку как ручную кладь.
— Хорошо, вы можете взять ее с собой.
— Сколько у нас есть времени до начала посадки?
— Не беспокойтесь, у вас масса времени.
— Вот ваши билеты и посадочный талон.
— Большое спасибо.
— Пожалуйста.

Section 3

On the plane / В самолете

Words

flight attendant	стюард(есса)
snack and beverages	легкая закуска и напитки
seat belts	ремни безопасности
full upright position of the seat	вертикальное положение кресла
safety rules	правила безопасности
window seat	место у окна
aisle seat	место у прохода
emergency exit	запасной выход

Expressions

You are in my seat.	Вы заняли мое место.
Remain in your seat.	Оставайтесь на своем месте.
Return to your seat.	Вернитесь на свое место.
Watch the seat belts sign.	Следите за табло.
Fasten your seat belts.	Пристегните ремни.
Place your suitcase under your seat.	Поставьте чемодан под кресло.
Put your bags in the overhead compartment.	Поставьте сумки в верхнее багажное отделение.
A meal will be served on this flight.	В полете будет подан обед.

Dialogue

On the plane

— What would you like to drink?
— May I have tomato juice and red wine as well?
— Sure, you can. What do you prefer, chicken or fish?
— Can you bring me a vegetarian meal?
— Did you order it when you bought your ticket?
— I did not know I had to do it in advance. *заранее, аванс*
— Let me check, maybe I can do something for you.
— Thanks a lot, I appreciate it. *— ценю или*

В самолете

— Что вы будете пить?
— Можно томатный сок и красное вино?
— Конечно. Что вы предпочитаете, курицу или рыбу?
— Не могли бы вы принести мне вегетарианскую пищу?
— Вы заказали ее, когда покупали билет?
— Я не знал, что должен был сделать это заранее.
— Сейчас я посмотрю, может, я смогу что-то сделать для вас.
— Большое спасибо, я вам очень признателен.

Section 4

After the flight / После полета

Words

baggage claim	выдача багажа
baggage carousel	конвейер для выдачи багажа
a rolling duffle bag	сумка на колесах
customs declaration	таможенная декларация
application form	бланк заявления
immigration officer	сотрудник иммиграционной службы
travel passport = travel document	документ, разрешающий загранич-ные поездки жителям США, не имеющим американского граждан-ства
foreign currency	иностранная валюта
currency exchange	обмен валюты
lost and found	бюро находок
layover	остановка в пути
itinerary	маршрут путешествия
destination	место назначения
journey	путешествие
trip	поездка
business trip	деловая поездка, командировка
traveler's check	дорожный чек
to go on a trip	отправиться в поездку
globetrotter	тот, кто путешествует по всему свету
seasoned traveler	бывалый путешественник
jet lag	чувство усталости, вызванное сме-ной часовых поясов

Expressions

My luggage is damaged.	Мой багаж поврежден.
One of my suitcases is missing.	Один из моих чемоданов пропал.
to be on a business trip	приехать в командировку
to clear the customs	пройти таможню
Do you have anything to declare?	У вас есть что-нибудь, подлежащее декларации?
to talk to an immigration officer	говорить с сотрудником иммиграционной службы
to come on a tourist visa	приехать по туристической визе
to fill out some paper work	заполнить кое-какие бумаги
What was the nature of your trip?	Какова цель вашей поездки?
bad weather conditions	плохие погодные условия
to reschedule the flight	изменить расписание полета
to pre-board the business class passengers	пропустить вперед на посадку пассажиров бизнес-класса
to crisscross the country	исколесить страну
Good news travels fast.	Хорошая новость разносится быстро.

Dialogue

After the flight
— Can you help me make a call? I need to rent a car.
— There are several car rental offices in the airport.
— Maybe I should go to the information desk first?
— Sure, it's a good idea.
— Could you tell me how to find the information desk?
— Take an elevator to the first floor and then follow the signs.
— It's right in the center of the hall, you can't miss it.

После полета
— Не могли бы вы помочь мне сделать звонок? Мне надо взять машину напрокат.
— В аэропорту есть несколько пунктов проката машин.
— Может быть, мне сначала пойти в справочное бюро?
— Конечно, это разумно.
— А вы не подскажете, как найти справочное бюро?
— Спуститесь на лифте на первый этаж и затем идите по указателям.
— Оно прямо в центре зала, его нельзя не заметить.

Exercises

Упражнение 1
Вставьте пропущенный глагол.

A. What would you _like_ to drink? (*think; have; take; like*)

B. You have to ___ it in advance. (*make, do, call, have*)

C. May I ___ your passport? (*look, get, see, watch*)

D. Is this bag small enough not to ___?
   (*look at; put in; check in; get in*)

E. Can you help me ___ a call? (*do; dial; make; start*)

Упражнение 2
Вставьте пропущенное слово.

A. Here is your boarding ___. (*stub, ticket, pass, paper*)

B. Don't worry, you have ___ of time. (*many, more, plenty, enough*)

C. May be I can do ___ for you. (*anything, something, a lot, plenty*)

D. Put your bags in the _head_ compartment.
   (*luggage, baggage, overhead, suitcase*)

E. Let's meet at the check-in ___. (*desk, office, counter, window*)

Упражнение 3
Вставьте пропущенный предлог.

A. You are ___ my seat. (*at, on, in, with*)

B. The flight is ___ time. (*in, on, at, for*)

C. The meal will be served ___ this flight. (*on, in, from, with*)

D. You can get these tickets ___ a discount. (*with, for, at, to*)

E. What if I change my plans ___ some reason? (*with, for, at, from*)

Упражнение 4
Выберите нужное слово в каждом предложении.

A. ___ things as they are. (*accept, hold, take, receive*)

B. This position was offered to him, but he didn't ___ it.
   (*accept, hold, take, receive*)

C. Don't ___ it personally. (*accept, hold, take, receive*)

D. My brother ___ a master's degree in Computer Science.
   (*accepts, holds, takes, receives*)

E. Our son ___ a lot of attention from his grandparents.
   (*accepts, holds, takes, receives*)

Упражнение 5
Сделайте это предложение вопросительным.

A. You live near the bank. *Do you live near the bank?*

B. You can keep a secret. *Can you keep a secret*

C. You promise not to tell. *Do you promise not to tell*

D. The flight is delayed. *Does the flight is delayed*

E. They want to return their tickets. *Do they want to return their tickets*

Упражнение 6
Сделайте это предложение вопросительным.

A. He speaks English fluently. *Does he speak E fluently*

B. They could find us very quickly. *Could they find us very quickly*

C. He chose a nonstop flight. *Did he choose a nonstop flight*

D. It was important to order a meal. *Was it important to order a meal*

E. You came home very late. *Did you come home very late*

Упражнение 7
Сделайте это предложение отрицательным. Дайте ответ, употребив краткую отрицательную форму глагола.

A. I travel alone. *I don't travel alone*

B. I am interested in it. *I am not interested in it*

C. I feel comfortable doing it. *I don't feel comfortable*

D. She can wait. *She can't wait*

E. You have to show your passport. *You haven't to show your*

Упражнение 8

Сделайте это предложение отрицательным. Дайте ответ, употребив краткую отрицательную форму глагола.

A. She feels well. _She doesn't feel well_

B. was able to speak. _wasn't able to speak_

C. I ordered two beers. _I did not order two beer_

D. You should watch this movie. _You should not watch TV_

E. He slept during the flight. _He did sleep during the_

Phonetics

Сочетание букв AU

Есть темы в фонетике, которые вызывают особенно много ошибок у русскоязычных студентов. Надо поработать над ними, чтобы избежать этих ошибок. Вот одна из таких тем.

Сочетание букв **AU** произносится как долгое **O** ([ɔ:]); это один долгий звук, по отдельности исходные английские буквы не произносятся совсем:

August ['ɔ:gəst]
autumn ['ɔ:təm]
laundry ['lɔ:ndrɪ]
cause [kɔ:z] _причина, основание мотив._
audio ['ɔ:dɪəʊ]
caught [kɔ :t]
auto ['ɔ: təʊ]
pause [pɔ:z] _пауза_
fault [fɔ:lt] _ошибка, неисправность_
fraud [frɔ:d] _обман, трюк, обман_
audit ['ɔ:dɪt] _проверка отчёт_
sauce [sɔ:s]

laud [lɔ:d] _хвалить_
haunt [hɔ:nt] _часто посещаемое место_
daunt [dɔ:nt] _запугивать_
launch [lɔ:n] _судно, которая коуст_
taunt [tɔ:nt] _насмешка_
faucet ['fɔ:sɪt] _водопровод. кран_
assault [ə'sɔ:lt] _нападение_
caulk [kɔ:k] _замазывать, конопатить_
caustic ['kɔ:stɪk] _едкий_
caution ['kɔ:ʃən] _осторожность_
exhaust [ɪg'zɔ:st] _истощать_
Santa Claus ['sæntə,klɔ:z]

Есть исключения из этого правила (например, слово **aunt** — здесь буква **U** как бы не замечается, и оно читается так же, как **ANT** [ænt]), но их немного.

Постарайтесь запомнить, что буква **U** в этой комбинации совсем «не звучит».

Let's Practice

Переведите с русского на английский. Потом сверьте свой вариант с ответом на обороте страницы.

Talking to a travel agent / Разговор с агентом турфирмы

1. Куда бы вы хотели поехать?
   where would you like travel
2. Когда вы хотите вылететь?
   when would you like depart
3. Вы можете вылететь рано утром?
   you can departure in the morning early
4. Это беспосадочный рейс?
   It is a nonstop the flight

At a check-in counter / У стойки регистрации

5. Вы предпочитаете место в проходе или у окна?
   Do you prefere window sit or aisle sit
6. Будет ли подан обед?

7. Могу ли я заказать вегетарианскую пищу?
   Can I order a vegetarian's meat
8. Сколько багажа я могу пронести как ручную кладь?
   How much baggage can I carry

On the plane / В самолете

9. Сколько времени длится полет?
   How long is our flight
10. Когда можно ожидать обед?
    When can I wait a dinner
11. Вы можете принести мне воды?
    Would you like drink me a water
12. Вы можете дать мне яблочный сок без льда?
    Can you give me a apple juice with no ice

After the flight / После полета

13. Разрешите мне посмотреть ваш паспорт?
    Can I see your passport
14. Какая у вас виза?
    what kind wise do you have
15. Какова цель вашего визита?

16. Как долго вы планируете оставаться?

Проверьте себя

Talking to a travel agent / Разговор с агентом турфирмы

1. Where would you like to go?
2. When do you want to depart?
3. Can you depart early in the morning?
4. Is it a nonstop flight?

At a check-in counter / У стойки регистрации

5. Do you prefer aisle or window seat?
6. Is a meal served?
7. Can I order a vegetarian meal?
8. How much luggage can I carry on?

On the plane / В самолете

9. How long is the flight?
10. When can I expect a meal?
11. Can you bring me some water?
12. Can you give me apple juice with no ice?

After the flight / После полета

13. May I see your passport?
14. What kind of visa do you have?
15. What is the purpose of your visit?
16. How long do you plan to stay?

track (14)

Getting around Town
Путешествие по городу

Let's Study

1. Конструкции с «фиктивным» подлежащим

В русском языке сплошь и рядом встречаются предложения без подлежащего:

(1) Нас много. (2) Здесь темно. (3) На этот вопрос нелегко ответить.

Давайте разберемся, как это сказать по-английски, чтобы подлежащее и сказуемое были на месте. Мы знаем, что глагол (и, следовательно, сказуемое) в английском предложении есть всегда. Подлежащее же (если оно по смыслу отсутствует) можно для проформы заменить «манекеном». Такая ситуация совершенно непривычна для русскоязычных людей и порождает не только ошибки, но и неестественную речь, как бы кальку с русского.

Существует два типа конструкций, где подлежащее заменено «манекеном». Сначала мы разберем тот, который всем знаком по учебникам, но употреблять который умеют не все.

Если надо сказать, что какой-то объект существует/наличествует, употребляется оборот **there + be**. Глагол **to be** при этом может стоять в разных временах, а его форма зависит от последующего существительного. Смысл этого оборота можно передать словом «имеется», причем часто делается акцент на том, где, в каком месте имеются предметы или люди. В каждом конкретном случае можно найти более удачное русское слово для перевода — «есть», «находится», «расположен» и т.д.; слово «имеется» звучит неуклюже, зато подходит всегда.

There is a child in the car! — В машине (есть) ребенок!

There are thirty days in April. — В апреле тридцать дней.

There were two boys in the picture. — На картине были изображены два мальчика.

Повторим еще раз: данный оборот описывает то, что имеется в интересующем нас месте. Так сказать, «опись имущества». Отсюда ясно, кстати, что называемые предметы идут с неопределенным артиклем (если это счетные существительные в единственном числе) — они нас интересуют не сами по себе, а как представители своей группы.

Русская конструкция выглядит логичнее: акцентируемые слова (обстоятельство места) стоят в начале фразы. В английском языке тоже можно поставить обстоятельство места в начало фразы:

Near the river there is a small house. — Около реки есть небольшой дом.

Но чаще всего эти слова (обстоятельство места) в английском варианте стоят в конце, так как сам оборот **there + be** уже показывает, на что обратить внимание, и тогда переводить предложение с английского на русский надо «с конца».

There are five apples on the table. — На столе лежат пять яблок.

There were seven candidates for the position. — На это место было семь претендентов.

И еще один пример, чтобы напомнить, что слово **there** в этом обороте фиктивное, оно «не считается».

There is a dog there. — Там есть собака.

Обратите внимание: место, где располагаются объекты, может быть весьма условным — мы как бы очерчиваем его в своем сознании (и тогда в предложении отсутствует обстоятельство места):

На этот вопрос нет ответа. — **There is no answer to this question.**

У этой проблемы нет решения. — **There is no solution to this problem.**

Есть какие-нибудь вопросы? — **Are there any questions?**

2. Сравнение THERE + BE и TO HAVE

Давайте теперь взглянем на оборот **there + be** с другой точки зрения. Сравните два русских предложения:

У меня есть стол. — В комнате есть стол.

А теперь их перевод:

I have a table. — There is a table in the room.

Вся разница в том, на чем сделан акцент: кому принадлежит или где находится. При этом русский язык использует похожие конструкции, а английский — разные. Первая из них усваивается учениками легко, а вторая труднее.

У меня есть один вопрос. — **I have one question.**

Есть один вопрос. — **There is one question.**

Давайте приведем несколько примеров, где эти конструкции будут стоять рядом — понаблюдайте за различиями. Необходимо отметить, что понятие «где находится» может пониматься широко, в некоем мысленном пространстве (мы в этом случае часто начинаем фразу словами «есть», «было», «существует»):

В то время у меня было много друзей. — **At that time I had a lot of friends.**

Было много людей, которые сделали ту же ошибку, что и я. — **There were many people who made the same mistake that I did.**

Ваше предложение имеет много недостатков. — **Your proposal has many drawbacks.**

В вашем предложении есть значительный недостаток. — **There is a significant drawback in your proposal.**

В медицине есть одно очень важное правило. — **There is one very important rule in medicine.**

В английском у этих двух оборотов есть определенное сходство — в отрицательном предложении в них используется частица **no** вместо обычной **not**:

I have no books. — There are no books on the table.

There is no parking here. — Здесь нельзя ставить машину.

There is no smoke without fire. — Нет дыма без огня.

There is no such thing as free lunch. — Бесплатный сыр бывает только в мышеловке. (В том смысле, что за все, в конечном итоге, приходится платить).

Давайте теперь попрактикуемся, возьмем расхожие русские фразы и переведем их на английский (сначала попробуйте сделать это сами, а затем прочитайте ответ):

Здесь очередь. — **There is a line here.**

Нас много. — **There are many of us.**

Вы знаете, есть одна проблема. — **You know, there's a problem.**

В этом здании есть туалет? — **Is there a restroom in this building?**

Сколько людей было на концерте? — **How many people were there in the concert?**

Сколько у вас детей? — **How many children are there in your family?**

Обратите внимание, что глагол **to be** ведет себя как и положено сильному глаголу — меняется местами с подлежащим, даже фиктивным.

И в заключение — текст рекламы одной из кредитных карт, которую часто можно услышать по радио и телевидению:

There are things that money can't buy. For everything else there is MasterCard. — Есть вещи, которые за деньги не купишь. Для всего остального существует МастерКарта.

3. Конструкция с «фиктивным» IT

Другой пример фиктивного подлежащего — местоимение **it**. Оно употребляется, когда речь идет о времени, расстоянии, погоде и т.д.

It is Tuesday today. It's five o'clock. — Сегодня вторник. Пять часов.

It was hot yesterday. It will be dark soon. — Вчера было жарко. Скоро будет темно.

It's about 5 miles from here to the ocean. — Отсюда до океана примерно 5 миль.

Этот оборот часто начинает более сложные предложения:

It's a pity that you can't come with us. — Жалко, что вы не можете пойти с нами.

It's possible that he is simply a fool. — Возможно, он просто дурак.

It's a mystery what he sees in her. — Непонятно, что он в ней находит.

Is it true that she is sick? — Правда ли, что она больна?

Интересная деталь: в английском языке многослойные «тяжелые» сочетания (несущие основную смысловую нагрузку) чаще всего оказываются в конце предложения. Можно, в принципе, сказать и так:

To see him with a girl was unusual. — Видеть его с девушкой было непривычно.

Но в английском языке нормой является другое расположение слов, и тогда место подлежащего занимает **it**:

It was unusual to see him with a girl. — Было непривычно видеть его с девушкой.

It was nice to meet your friend. — Было приятно познакомиться с вашим другом.

It is difficult to be a boss. — Трудно быть начальником.

It isn't easy to answer this question. — На этот вопрос нелегко ответить.

It's hard to understand what she is talking about. — Трудно понять, о чем она говорит.

Изредка к фиктивному подлежащему it пристраиваются и другие глаголы:

It always pays to tell the truth. — Говорить правду всегда выгодно.

It takes 3 minutes to boil an egg. — Сварить яйцо занимает 3 минуты.

Вопросы к таким фразам даются нелегко; но понимание того, что **it** является подлежащим, поможет вам:

How long does it take to boil an egg? — Сколько времени занимает сварить яйцо?

4. Употребление слова WAY

Слово **way** лишь поначалу кажется совсем простым тем, кто приступает к изучению языка. Это одно из фундаментальных слов английской лексики.

way — 1) путь, дорога

I'm going your way. — Мне с вами по пути.

Can you show me the way to the airport? — Вы можете показать мне дорогу в аэропорт?

Do you know the shortest way to the sea? — Вы знаете кратчайший путь к морю?

He got lost on his way here. — Он заблудился по дороге сюда.

We lost our way. — Мы сбились с пути.

He slept all the way. — Он спал всю дорогу.

way in — вход

way out — выход (и в прямом и в переносном смысле)

Is there any other way out of this building? — Есть ли другой выход из этого здания?

I can see no way out for us. — У нас нет никакого выхода.

2) путь, расстояние

a long way from here — далеко отсюда

You have a long way to go. — Вам еще далеко ехать.

to come a long way — а) проделать большой путь; б) многого добиться;

He has come a long way in his work. — Он далеко продвинулся в своей работе.

3) направление, сторона

Which way is Broadway? — В какой стороне Бродвей?

Which way are you going? — Вам в какую сторону?

Which way is the wind blowing? — В какую сторону дует ветер?

Look this way. — Посмотри в эту сторону.

This way, please. — Сюда, пожалуйста.

wrong way — неправильное направление

This is a one-way street. — Это улица с односторонним движением.

4) отношение (один из аспектов проблемы)

In a way, you are right. — В некотором отношении вы правы.

This was wrong in every way. — Это было неправильно во всех отношениях.

5. Другие значения слова WAY

Далее идет группа более сложных значений.

5) образ, манера, способ

American way of life — американский образ жизни

In what way can I get this information? — Каким образом я могу раздобыть эту информацию?

One way or another, you'll find him. — Вы его найдете, так или иначе.

There is no other way to do it. — Это нельзя сделать иначе.

She spoke with me in a friendly way. — Она говорила со мной по-дружески.

No way! — Никоим образом! (Так не пойдет! Ни за что!)

Dad, I wanna go to the movies. — No way! — Папа, я хочу пойти в кино. — Ни за что!

Самое необычное для нас и очень распространенное употребление:

6) образ действия, способ, метод (но на русский иногда не переводится совсем; часто переводится словами «так», «как»).

I like the way you dance. — Мне нравится, как вы танцуете.

I don't like the way you treat me. — Мне не нравится, как вы со мной обращаетесь.

This is the way to do it. — Вот как это нужно делать.

Decent people don't act that way. — Приличные люди так не поступают.

Do it any way you like. — Делайте, как вам нравится.

Have it your way. — Пусть будет по-вашему.

The coffee is hot, just the way I like it. — Кофе горячий, как раз так, как я люблю.

That's the way it works. — Вот так оно работает.

That's the way it goes. — Так уж повелось.

И более сложный пример — название популярного американского кинофильма и песни из него, которую поет Барбара Стрейзанд:

The way we were. — Какими мы были.

Приведем еще несколько «независимых» выражений с этим словом:

by the way — кстати; между прочим

Just the other way around! — Как раз наоборот!

Get out of the way! — Отойдите! Прочь с дороги!

to get under way — начинаться (изначально это морской термин — отплывать; **way** здесь означает «движение вперед», «ход судна»).

His work is well under way. — Его работа неплохо продвинулась.

to have a way with — уметь обращаться, ладить (с кем-то)

She has a way with kids. — У нее есть подход к детям.

to come one's way — попасться на пути; встретиться

This is the best example that has come my way. — Это лучший пример, который мне попался.

7) И, наконец, последнее значение, которое встречается только в американском варианте языка: **way** усиливает стоящее за ним слово и переводится на русский как «далеко», «намного».

They are ahead of us, way ahead. — Они впереди нас, далеко впереди.

I feel way better today. — Сегодня я чувствую себя намного лучше.

You pay him way more than he deserves. — Вы платите ему намного больше, чем он заслуживает.

Section 1

Getting around by bus / Поездка на автобусе

Words

public transportation	общественный транспорт
exact change	оплата мелкими деньгами, так что сдачи не нужно
MetroCard	метрокарта (магнитная карта MetroCard®)
requested stop	остановка по требованию
Wheelchair access.	Оборудован доступ для инвалидной коляски.
transfer	пересадка
bus fare	плата за проезд в автобусе
seats for the elderly and disabled	места для пожилых и инвалидов

Expressions

The bus is out of service.	Автобус неисправен.
The bus is filled to maximum capacity. - емкость	Автобус забит/переполнен.

The bus is making all stops.	Автобус идет со всеми остановками.
The bus is making limited stops. *курс*	Автобус идет не со всеми остановками.
The bus has been re-routed.	Маршрут автобуса изменился.
The bus will be delayed.	Автобус опаздывает.
The bus will stop here for inspection.	Автобус будет остановлен для проверки.
Passengers must stand behind the white line.	Пассажиры должны стоять за белой чертой.
Move to the rear of the bus.	Пройдите в середину автобуса.
to request a stop	попросить водителя сделать остановку
The doors will now open.	Двери открываются.
to go up the stairs	подняться по лестнице
Watch the step!	Осторожно, ступенька!

Dialogue

Talking to a bus driver

— Does this bus go downtown?

— Yes, but where would you like to go?

— I need to go to the intersection of Houston and Bleeker streets.

— You can take this bus and then transfer to another bus at Bleeker street.

— Will I have to pay a double fare?

— No, here is a transfer ticket that is valid on the next bus.

Разговор с водителем автобуса

— Этот автобус идет в центр?

— Да, а куда вам нужно?

— Мне надо попасть на перекресток улиц Хаустон и Бликер. (здесь нестандартное произношение, над которым всегда подшучивают жители Нью-Йорка: улица Houston произносится [Хаустон]; город Houston произносится [Хьюстон])

— Вы можете сесть на этот автобус и потом пересесть на другой автобус на Бликер.

— Мне придется дважды платить за билет?

— Нет, вот талончик для пересадки, который будет действителен и в том автобусе

Section 2

Getting around by subway / Поездка на метро

Words

subway token	жетон метро
subway station	станция метро
subway train	поезд метро
subway car	вагон метро
ticket-booth	билетная касса
turnstile	турникет
local train	поезд, идущий со всеми остановками (относится и к метро, и к пригородным поездам)
express train	поезд-экспресс (относится и к метро, и к пригородным поездам)
conductor	проводник
manual gate	дверь, открываемая вручную
the gap between the platform and the train	зазор между платформой и поездом
subway map	схема метро
to exchange the ticket	поменять билет
travel time	время в дороге
incessant overcrowding	постоянно переполненные вагоны
daily grind	дневная толкучка
the third rail	рельс под напряжением
tried and true travel path	проверенный маршрут
to commute	совершать ежедневные поездки из пригорода в город
commuter	ежедневный «пригородный пассажир»

Expressions

Do not hold doors.	Не держите двери.
Do not lean on doors.	Не прислоняться к дверям.
Moving between cars while the train is in motion is prohibited.	Переход между вагонами во время движения воспрещен.
expired transfer	просроченный талончик пересадки
The train will not stop at the next station.	Поезд не останавливается на следующей станции.

The train will terminate at the next stop.	Следующая остановка конечная, поезд дальше не пойдет.
What stop are we at?	На какой мы сейчас остановке?
All passengers must get off the train.	Всем пассажирам надо выйти из поезда.
Do not block exits.	Не загораживайте выход.
Stand clear of closing doors.	Осторожно, двери закрываются.
No solicitors allowed.	Запрещается вымогать деньги.
No peddling allowed.	Мелкая торговля запрещена.
to jump the turnstile	перепрыгнуть через турникет
to catch the train	успеть на поезд
You can't miss it.	Это нельзя не заметить.

Dialogue

At the ticket-booth

— Can you tell me how to get to Delansey street?

— Take the F train downtown and transfer at 42nd street.

— What train do I have to transfer to?

— You will need to take the D train. There will be signs for it, you can't miss it.

— How long will it take me to get there?

— It should be no more than half an hour.

— Thank you. Could I buy the ticket for my trip here?

— Yes, here there is a vending machine that sells MetroCards.

У кассы метро

— Вы не скажете, как мне добраться до улицы Дилэнси?

— Садитесь на поезд F в южном направлении и сделайте пересадку на 42 улице.

— На какой поезд мне надо пересесть?

— Вам надо сесть на поезд Д. Там будут указатели, вы не ошибетесь.

— Сколько времени займет дорога туда?

— Не более получаса.

— Спасибо. Могу ли я купить билет здесь?

— Да, здесь есть автомат, который продает карты MetroCard®.

Section 3

Getting around by car / Поездка на автомобиле

Words

driver	водитель
passenger	пассажир
driver's license	водительские права
intersection	перекресток
road signs	дорожные знаки
road map = road atlas	дорожный атлас
parking meter	счетчик времени на платной стоянке
construction	ремонтные работы
road merge	слияние дорог
highway = freeway = = expressway	скоростное шоссе, автострада
local street	местная улица (дорога), в отличие от скоростной
toll	пошлина за проезд
ticket	штрафная квитанция (не только билет)
speed limit	установленный предел скорости
speeding	превышение скорости
traffic	дорожное движение
traffic jam	затор, пробка на дорогах
seat-belts	ремни безопасности

Expressions

Road under construction.	Дорога ремонтируется.
Please pay the toll.	Пожалуйста, уплатите дорожный сбор.
to make a U-turn	сделать разворот, развернуться
to keep left/right	держаться левой/правой стороны
to get off at the next exit	свернуть на следующем съезде
to get on to the highway	выехать на шоссе
rush hour	час пик
to get a ticket	получить штраф
Fasten your seat belts.	Пристегните ремни.
Turn on your headlights.	Включите фары.
to change lanes	менять полосу; перестраиваться
to merge into traffic	встраиваться в поток машин

Dialogue

At the gas station

— Sir, would you like full service or will you be using the self-serve pump?

— What does the full service include?

— We will clean your windshield, vacuum the inside of your car and fill up your gas tank.

— I would like the full service. What kind of gas do you have available?

— We offer regular, diesel, and premium gas at very reasonable prices.

— Please fill up my tank with the premium. Also, can you tell me how I can get to Brunswick?

— Go straight, bear to your left. You will need the first exit off the highway.

На бензозаправочной станции

— Сэр, вы хотите полный сервис или самообслуживание?

— Что включено в полный сервис?

— Мы вымоем вам ветровое стекло, почистим машину изнутри и заполним бак бензином.

— Я хочу полный сервис. Какие виды бензина есть в наличии?

— У нас есть бензин обычный, высшего сорта и дизельное топливо по весьма приемлемым ценам.

— Мне бензин высшего сорта, полный бак, пожалуйста. И еще, не скажете, как мне добраться в Брансвик?

— Езжайте прямо и держитесь левой стороны. Вам надо будет съехать с шоссе на первом выходе.

Section 4

Getting around by taxi / Поездка на такси

Words

downtown	деловой центр города (в Нью-Йорке также — южное направление движения)
uptown	(в Нью-Йорке — северное направление движения)
taxi meter	счетчик такси
cab = yellow cab = taxi	такси

passenger rights	права пассажиров
receipt	квитанция за поездку в такси
double fare	двойной тариф
flat fare	фиксированный тариф на определенном маршруте
tips	чаевые
windshield wipers	«дворники» (стеклоочистители)
rearview mirror	зеркало заднего вида
gas station	автозаправка
gas station attendant	служащий автозаправочной станции
gas pump	бензоколонка
gas tank	бензобак
quick-stop shop	небольшой магазин на автозаправке
unleaded gasoline	бензин, очищенный от свинца
gasoline types: regular; premium = super	виды бензина: обычный; высшего качества
blind spot	слепое пятно
front seat/back seat passenger	пассажир, сидящий на переднем/заднем сидении
morning commute	утренняя поездка из пригорода в город на работу
to hitchhike	передвигаться на попутных машинах, путешествовать автостопом
hitchhiker	тот, кто путешествует автостопом

Expressions

to hail a cab	подозвать (остановить) такси
The cab is on duty	Такси на линии (работает).
The cab is full.	Такси занято.
I'm going the other way.	Я еду в другую сторону.
I need to go Brooklyn.	Мне надо в Бруклин.
No extra charge.	Без дополнительной оплаты.
There will be a surcharge.	Будет дополнительная плата.
We will take an alternate route.	Мы поедем другой дорогой.
to get into the cab	сесть в такси
to get out of the cab	выйти из такси
Which way are you headed?	В какую сторону вы направляетесь?
The meter is not working; you are a free rider.	Счетчик не работает, поедете бесплатно.
No pushing and shoving!	Не толкаться!
Pull yourself together!	Возьмите себя в руки!

Be courteous to your fellow passengers.	Будьте вежливы с другими пассажирами.
to correct a misunderstanding	исправить недоразумение
to instigate a quarrel	начать ссору
to contain yourself	сдержать себя
To make way for passengers boarding the bus	дать дорогу входящим пассажирам
The train will be replaced with bus service.	Поезд будет заменен автобусами.
Do not attempt to exit through the front doors, use rear doors only.	Выходите только через задние двери.
These seats are reserved.	Эти места не занимать.
walking distance	расстояние, которое легко пройти пешком
The bank is within walking distance from here.	Банк здесь недалеко, можно дойти пешком.
Heed oncoming traffic.	Следите за встречным движением.
Stay clear of the yellow line	Отойдите от желтой линии.
back seat driver	человек, дающий навязчивые советы водителю
I need to orient myself.	Мне нужно сориентироваться.
What are you near?	Что находится рядом с вами?
I'm at the intersection of 5th Avenue and 33rd Street.	Я на перекрестке 5 Авеню и 33 улицы.
I'm on the northeast corner of Queens Boulevard and 66th Street.	Я — на северо-восточном углу Бульвара Квинс и 66-ой улицы.
Please call the police!	Пожалуйста, вызовите полицию!
Here is a law enforcement officer.	Вот сотрудник правоохранительных органов.

Dialogue

Talking to the cab driver

- I need to go uptown, are you going that way?
- I'm not on duty, you will have to hail another cab.
- Please, it's very near, and you're going there anyway.
- Where would you like to go?
- It's two miles down this street and three blocks to the right.
- OK, get in, but there will be a late night surcharge.
- It's fine with me, I'm so late — money does not matter now.
- Let's hit the road, give me the exact address.

Разговор с водителем такси.

- Мне надо в северную часть города, поедете туда?
- Моя смена уже закончилась, вам надо будет взять другое такси.
- Пожалуйста, это очень близко и вы все равно туда едете.
- Куда вы хотите поехать?
- Это две мили по этой улице и потом три квартала направо.
- Хорошо, садитесь, но это будет ночной тариф.
- Меня это устраивает. Я очень опаздываю — деньги сейчас не имеют значения.
- Тогда поехали, давайте точный адрес.

Exercises

Упражнение 1
Вставьте пропущенный глагол.

A. Where _do_ you need to go? (*can; are; have; do*)

B. Where are you ___ from? (*going; coming; starting; ending*)

C. Please ___ your belongings from the seat.
   (*put; add; remove; eliminate*)

D. Can you ___ me find the bus stop? (*assist; help; show; try*)

E. Does the train ___ here? (*trip; travel; terminate; leave*)

Упражнение 2
Вставьте пропущенное слово.

A. Here is your ___ ticket. (*transfer; boarding; luggage; exit*)

B. The train terminates at the ___ stop. (*previous; start; end; next*)

C. Smoking is prohibited in the ___. (*park; station; street, trip*)

D. The bus is going to be late due to heavy ___.
   (*time; traffic; accident; weather*)

E. The taxi stop is within walking ___. (*distance; area; amount; block*)

Упражнение 3
Вставьте пропущенный предлог.

A. Remove the things ___ the seat. (*off; from; onto; at*)

B. We are stuck ___ traffic. (*in; from; into; with*)

C. The bus is never ___ time. (*for; at; on; onto*)

D. Can I transfer ___ bus to train? (*from; for; into; onto*)

E. You can purchase the tickets ~~for~~ the train at the token booth. (*onto; on; in; for*)

Упражнение 4
Выберите нужное слово в каждом предложении.

A. You have to check your blind spot before making_____ a turn. (*taking; making; thinking; trying*)

B. You ___ have a license in order to legally drive. (*should; could; must; might*)

C. You ___ take the D train to get to Brooklyn. (*should; would; transfer; choose*)

D. If the store is not within walking distance we ___ take a cab. (*try; could; call; transfer*)

E. If the taxi does not come we ___ take the train. (*will; try; transfer; do*)

Упражнение 5
Сделайте предложение вопросительным.

A. I can take a taxi to go downtown. *Can I take a taxi.*

B. You will transfer from the bus to the train. *Will you transfer*

C. There is a gas station near the bank. *Is there a gas sta*

D. She answered the phone in the office. *Did she answer*

E. The buses were re-routed. *Were the buses re-routed*

Упражнение 6
Сделайте предложение вопросительным.

A. You have lost your way. _Have you lost your way_

B. The trains were running late. _Were the trains running late?_

C. The buses are always on time. _Are the buses always on time._

D. The overcrowding gets really bad at 34th street.

Does the overcrowding get really bad at 34th str

E. It takes two hours to get to Boston from here. _How long does it take two hours to get to Boston_

Упражнение 7
Сделайте предложение отрицательным.

Дайте ответ, употребив краткую отрицательную форму глагола.

A. I will take the train to Chicago. _I will not take_

B. He rides the subway to work. _He doesn't ride the subway_

C. She can take the next cab. _She can't take_

D. The phone number has changed. _The phone number hasn't chang_

E. The conductor was on duty. _The conductor wasn't on duty_

Упражнение 8
Сделайте предложение отрицательным.

Дайте ответ, употребив краткую отрицательную форму глагола.

A. It is raining outside. _It isn't_

B. The buses are running smoothly. _The buses aren't_

C. I was able to catch a cab. _I wasn't_

D. I drove all the way uptown. _I didn't drive_

E. You should have taken the F train. _You shouldn't_

Phonetics

Сочетание букв IGH

Сочетание букв **IGH** дает звук [aɪ], т.е. буквы **GH** не читаются, но создают открытый слог для буквы **I**.

blight [blaɪt]
bright [braɪt]
fight [faɪt]
flight [flaɪt]
fright [fraɪt]
knight [naɪt]
might [maɪt]
light [laɪt]
night [naɪt]
sight [saɪt]
right [raɪt]

tight [taɪt]
plight [plaɪt]
wright [raɪt]
copyright [ˈkɔpi,raɪt]
fortnight [ˈfɔːrt,naɪt]
forthright [ˈfɔːrθ,raɪt]
height [haɪt]
insight [ˈɪnsaɪt]
midnight [ˈmɪdnaɪt]
twilight [ˈtwaɪlaɪt]

Let's Practice

Переведите с русского на английский. Потом сверьте свой вариант с ответом на обороте страницы.

Getting around by bus / Поездка на автобусе

1. В какую сторону едет этот автобус?

2. Сколько времени заняла ваша поездка?

3. Вам надо пересесть на следующей остановке.

4. Не разговаривайте с водителем во время движения (автобуса).

Getting around by subway / Поездка на метро

5. Поезда сегодня ходят нормально?

6. Вы выходите на следующей остановке?

7. Вы пропустили последний поезд.

8. Не кричите на меня, возьмите себя в руки.

Getting around by car / Поездка на автомобиле

9. Здесь нет парковки в это время дня.

10. Вы можете легко получить штраф, если запаркуетесь здесь.

11. Темнеет — включите фары.

12. Превышать установленный предел скорости очень опасно.

Getting around by taxi / Поездка на такси

13. Сколько стоит добраться (доехать) до аэропорта?

14. На 5-й Авеню движение идет очень медленно.

15. Поторопитесь — это очень далеко отсюда.

16. Мне кажется, вы сбились с пути.

Проверьте себя

Getting around by bus / Поездка на автобусе

1. Which way is this bus going?
2. How long did your trip take?
3. You should transfer at the next stop.
4. Don't talk to the driver while the bus is in motion.

Getting around by subway / Поездка на метро

5. Are the trains running normally today?
6. Are you getting off at the next stop?
7. You have missed the last train.
8. Don't yell at me, pull yourself together.

Getting around by car / Поездка на автомобиле

9. There is no parking here at this time of day.
10. You can get a ticket easily if you park here.
11. It's getting dark — turn on your headlights.
12. It's very dangerous to exceed the speed limit.

Getting around by taxi / Поездка на такси

13. How much does it cost to get to the airport?
14. There is a lot of traffic on 5th Avenue.
15. Hurry up — it's a long way from here.
16. It seems to me that you have lost your way.

Shopping
Покупки

Let's Study

1. Формы английских глаголов

Подобно герою Мольера, с удивлением узнавшему, что он всю жизнь говорил прозой, мы порой пользуемся грамматическими категориями, не задумываясь о них.

Обратите внимание на одну из таких категорий — так называемые формы глагола. Эти формы, как строительные блоки, в разных комбинациях создают все глагольные конструкции. Каждый английский глагол имеет пять форм (но с сильными глаголами надо разбираться отдельно), например: **infinitive** (**to see**); I-я форма (**see**); II-я форма (**saw**); III-я форма (**seen**); **-ing**-форма (**seeing**). В словарях приводится I-я форма, именно она образует простое настоящее время, с которого и начинается ознакомление с английским языком:

I see you. He sees us. — Я вижу тебя. Он видит нас.

На основе I-ой формы образуются все остальные формы глагола. Инфинитив отличается от I-ой формы наличием частицы to (чему в русском языке соответствует «-ть(ся)», «-чь(ся)» на конце глагола). Эта частица только обозначает инфинитив, она не переводится и не имеет ничего общего с предлогом to.

II-я и III-я формы образуются по-разному. Большая часть глаголов действует в соответствии с простым правилом (поэтому они называются правильными):

II ф. = III ф. = I ф. + **-ed**

Неправильные глаголы этому правилу не подчиняются, их II-я и III-я формы образуются без видимой системы.

43

Из I-ой формы получается -ing-форма (**see** — **seeing**, **love** — **loving**, **sit** — **sitting**); о ее функциях мы будем говорить в следующей главе.

II-я форма имеет только одно применение — она образует простое прошедшее время:

I saw you. He saw us. — Я видел тебя. Он видел нас.

Я надеюсь, что построение вопроса или отрицания в этом времени не составляет для вас проблемы:

I did not see you. Did he see us? — Я не видел тебя. Он видел нас?

На начальном этапе изучения языка надо быть внимательным к таким деталям.

У III-ей формы три разные функции; они чрезвычайно важны и мы посвятим им отдельное занятие.

А вот функции английского инфинитива так просто описать не удастся — их много. Во многих случаях английский инфинитив употребляется так же, как русский — и тогда сложностей не возникает. О серьезных отличиях здесь мы говорить не будем, но один случай сразу бросается в глаза — когда фраза начинается с инфинитива: **To learn English you have to work.** В этом случае перед русским инфинитивом надо добавлять слова «для того, чтобы» или просто «чтобы». — Чтобы выучить английский, надо работать.

В английском языке тоже есть соответствующий оборот:

in order to — для того, чтобы

In order to become a doctor you should work very hard. — Чтобы стать врачом, Вы должны работать очень много.

Но так получается очень официально. Этот оборот подходит, скажем, для научной статьи, а в обычной речи часто пользуются просто инфинитивом:

He is coming to see you. — Он приходит (приезжает) повидаться с тобой.

We stopped to rest. — Мы остановились отдохнуть.

To start press the button. — Чтобы начать, нажмите кнопку.

To get a better job, you need more time. — Чтобы получить работу получше, тебе нужно больше времени.

2. Особенности сильных глаголов

Формы сильных глаголов образуются нестандартно, и тон задает, конечно, глагол **to be**. Это единственный глагол английского языка, сохранивший спряжение (хотя и неполное) в настоящем простом времени:

I am; he (she, it) is; we (you, they) are;

II-я форма у него тоже выглядит по-разному для единственного (**was**) и множественного (**were**) числа. Далее, **to be** — единственный английский глагол, у которого инфинитив выражен самостоятельным словом (не совпадающим ни с одной другой формой этого глагола). Сравните переход от I-й формы к инфинитиву:

play — **to play**; **love** — **to love** и т.д.

am (**is**, **are**) — **to be**.

Запомнить инфинитивную форму проще простого благодаря знаменитой цитате:

To be or not to be? — Быть или не быть?

У другой группы сильных глаголов форм, напротив, меньше. Эти глаголы (**can, must, may, shall, will**) часто выделяют в отдельную категорию и называют модальными (от латинского слова *modus* — образ, способ; если хотите, они скроены особым способом). Первая их особенность — отсутствие инфинитива. Это чрезвычайно важно, ошибка будет очень грубой. Если у вас возникает вопрос, почему это так, ответ найти не сложно: инфинитив называет действие или состояние, а модальные глаголы не обозначают ни того, ни другого. Если же вы спросите, а что же они обозначают, то одной фразой уже не ответишь. Эта тема очень интересна, и надо отдельно разбираться с модальными глаголами и их заменами, типа: **must** — **to have to**; **can** — **to be able to**.

Почему у модальных глаголов появились особые замены? Ну конечно, потому и появились, что не хватает обычных глагольных форм и модальными глаголами трудно оперировать. Кстати, эти глаголы в английских учебниках иногда называют иначе — **defective verbs** — т.е. неполные, недостаточные. Все они лишены инфинитива и -**ing**-формы. У глагола **must** вообще нет ни одной формы, кроме I-й. У остальных имеется только I-я и II-я форма:

(**can** — **could**, **may** — **might**, **shall** — **should**, **will** — **would**).

Глагол, стоящий после модального глагола, также теряет частицу **to**:

I like to read. — **I can read.** — Я люблю читать. — Я могу читать.

Последнее отличие модальных глаголов — отсутствие окончания -**s** в третьем лице единственного числа:

I can swim. — **He can swim.** — Я могу (умею) плавать. — Он может (умеет) плавать.

Итак, в английском языке особая роль модальных глаголов проявляется значительно четче, чем в русском, и каждое предложение (в отличие от русского) может содержать не более одного такого глагола. Поверьте, понять формы глагола и научиться ими пользоваться исключительно важно — это фундамент английской грамматики.

3. Английские суффиксы

Есть такая шутка:

— Как мы называем человека, который ткет? — Ткач.

— А человека, который врет? — Врач.

В этом примере видны два аспекта такого лингвистического явления как суффиксы. С одной стороны, удобство построения однотипных слов. С другой, некая каверзность — в каждом конкретном случае есть несколько вариантов, и язык производит выбор неведомым нам способом. При изучении нового языка польза от работы с суффиксами неоценима; они являются как бы рельсами, по которым идет процесс словообразования, надо только видеть, где перестает действовать их логика. А для того, чтобы эту логику выявить, мы введем несложную форму записи, которая заметно облегчит нашу работу.

Дело в том, что существует фундаментальный факт, характеризующий английские суффиксы: каждый суффикс присоединяется к определенной части речи, а в результате получается другая, но всегда одна и та же часть речи. К этому важно добавить определение суффикса, т.е. описать его смысловую нагрузку.

Начнем с суффикса **-er** (**read** – **reader**), пожалуй, самого распространенного. Присоединяясь к глаголу, он всегда образует существительное; запишем это так:

(verb) + -er = (noun)

Результирующее слово обозначает лицо или предмет, исполнителя действия (о котором сообщает глагол); то, что (или того, кто) делает:

write – **writer** – писатель; **run** – **runner** – бегун;

(Надо отметить, что у суффикса **-er** есть еще одно применение — он образует сравнительную степень прилагательных (**high** – **higher**; **big** – **bigger**). Это два разных значения суффикса; они никак не связаны между собой).

Пока все крайне просто, обратите лишь внимание, что согласная на конце глагола может удваиваться, чтобы не менялось чтение предшествующей гласной: **sin** – грешить; **sinner** – грешник.

Однако далеко не всегда русский перевод находится так легко:

eater — тот, кто ест (едок)

drinker — тот, кто выпивает (это слово слабее, чем **drunkard** — пьяница)

sleeper — тот, кто спит (соня).

He is a heavy drinker and smoker. — Он крепко выпивает и много курит.

Когда вы подыскиваете перевод, руководствуйтесь только логикой английского суффикса; русские слова, казалось бы, близкие, могут привести вас к ошибке. Посмотрите на примеры:

player – тот, кто или то, что играет;

tennis player – человек, играющий в теннис; **record-player** – проигрыватель (пластинок), а **CD-player** – проигрыватель компакт-дисков.

Слово «игрок» близко по смыслу, но все же отличается. «Игрок»как азартный человек переводится словом **gambler**.

lover – тот, кто любит (слово «любовник» имеет неуважительный оттенок и поэтому для перевода не годится, кроме того, английское слово намного шире):

jazz lover – поклонник джаза;

a lover of animals – любитель животных;

a lover of good food – гурман;

worker – тот, кто работает, работник;

co-worker – сослуживец

social worker – социальный работник.

He is a good worker. – Он – хороший работник.

He is a hard worker. – Он – трудяга.

4. Суффиксы в составных словах

Теперь несколько примеров составных слов:

baby-sitter – тот, кто сидит с детьми, нянька

moviegoer – тот, кто часто ходит в кино, киноман

sleepwalker – тот, кто ходит во сне, лунатик

cheerleader – тот, кто направляет приветствия зрителей на спортивном матче, так сказать, «капитан болельщиков»

newcomer – вновь прибывший, новенький, новичок

Однако:

words that are newcomers in the language – слова, которые недавно вошли в язык.

speaker – тот, кто (или то, что) говорит:

1) оратор: тот, кто выступает;

He is a good speaker. – Он – хороший оратор.

She was the first speaker at the meeting. – Она первой взяла слово на собрании.

Отсюда, естественно, и пост спикера в парламенте.

2) **динамик, а также loudspeaker** – громкоговоритель.

teller – 1) рассказчик;

story-teller переводится и как сказочник и как выдумщик;

2) кассир в банке (в древности у глагола **tell** было значение «считать»).

У этого «любимого английским языком» суффикса **-er** есть важная особенность — его часто употребляют в порядке импровизации, создавая необычные слова или их сочетания (присоединить его можно почти к любому глаголу, так что один этот суффикс создает без преувеличения тысячи новых слов). Вот пример: в популярной сейчас песне есть такие слова:

I'm a joker, I'm a smoker, I'm a midnight talker. — Я люблю пошутить, покурить и потрепаться на ночь глядя.

5. Трудности в переводе суффиксов

Следует еще раз подчеркнуть: суффикс лишь намечает значение вновь образованного слова; часто определение получается весьма широким и под него подпадают разные предметы, явления или человеческие характеристики, и тогда выбор значения происходит случайным образом.

walker — это и любитель ходьбы, и металлическая опора при ходьбе, ходунок

opener — то, что открывает:

bottle opener — открывашка для бутылок

can opener — консервный нож (здесь перед нами второе значение слова **can** —консервная, жестяная банка (сравните «канистра»)

eye-opener — это мог быть инструмент глазного хирурга, но означает совсем другое: потрясающая новость; разоблачение.

That was an eye-opener for her. — Это сразу открыло ей глаза.

breaker — тот, кто (или то, что) ломает

housebreaker — взломщик

ice-breaker — 1) ледокол (судно); 2) замечание, реплика, снимающие напряжение в разговоре (в Америке даже серьезные выступления часто начинают с небольшой шутки).

maker — тот, кто делает, создает (что-то):

policy-maker — человек, определяющий политику

film maker — «киношник»; тот, кто снимает фильмы

law-maker — законодатель

trouble-maker — тот, кто причиняет неприятности

Глагол **curl** означает «закручивать», «завивать». Слово **curler** могло бы иметь много разных значений, но закрепилось одно, весьма конкретное — бигуди. Но вот как-то в рекламе факс-машины мелькну-

новое слово **anticurler** — ясно, что это устройство, не позволяющее листу бумаги закручиваться в трубочку.

Глагол **hang** — вешать (как предметы, так и людей). **Hanger** — тот, кто вешает или то, что подвешивает. Первое предположение напрашивается само собой, однако для слова «палач» язык избрал другой суффикс — **hangman**, а наше слово означает «вешалка для платья». Вот так, от серьезного до смешного один шаг, и суффиксы бесстрастно описывают и то и другое.

Section 1

At the supermarket / В универсаме

Words

customer	покупатель
product	продукт
produce	продукты в отделе «Овощи—Фрукты»
vendor	продавец, *автомат*
supermarket	универсам
announcement	объявление, *сообщение, уведомление*
cashier	кассир
register	касса
aisle	проход
frozen food section	отдел замороженных продуктов
dairy section	отдел молочных продуктов
bakery	хлебобулочные изделия
seafood	дары моря
meat/poultry	мясо/птица
canned goods	консервы
groceries	бакалея
deli section	гастрономия
cereals/breakfast foods	хлопья/продукты для завтрака
desserts	десерты
drinks/beverages	напитки
wines and liquors	вина и крепкие напитки
organic food	органические (натуральные) продукты
kosher food	кошерная пища
basket	корзина
shopping cart	тележка

Expressions

expiration date	срок годности
to sell by	продать до указанной на упаковке даты
to consume by	употребить до указанной на упаковке даты
Good until above date.	Годен до вышеуказанной даты.
Slippery when wet.	Осторожно, скользкий пол (стандартная вывеска)
This checkout counter is open.	Эта касса открыта.
to stand in line	стоять в очереди
Do you need help with your purchases?	Вам нужна помощь с покупками?
Would you like a plastic or a paper bag?	Вам упаковать продукты в пластиковый или в бумажный пакет?
May I see your receipt?	Можно посмотреть на ваш чек?
How will you be paying?	Как вы будете платить?
to bag the groceries	упаковать продукты в пакет
Do you have a club card?	У вас есть клубная карта?
We will be closing in 10 minutes, please proceed to checkout.	Мы закрываемся через 10 минут, пожалуйста, направляйтесь к кассе.
There is a sale on all Tropicana items.	Распродажа на все продукты фирмы Тропикана.
Fewer than 5 items only.	Не более пяти наименований.

Dialogue

At the supermarket

— Excuse me, can you tell me where I can find boxed oatmeal?
— That would be in aisle 2. Next to the bakery.
— Also, where can I find a shopping cart? My basket is full.
— The shopping carts are by the exit, behind the checkout counter.
— So I make a right at the grocery section and go past the checkout?
— Yes, but you will have to leave your purchases before the checkout while you go to get the shopping cart.

В супермаркете

— Извините, пожалуйста, не подскажете, где я могу найти овсяную крупу в коробках?
— Это во втором ряду. Рядом с выпечкой.
— А где мне взять тележку? У меня полная корзина.

— Тележки около выхода позади касс.

— Так мне повернуть направо у секции бакалейных продуктов и пройти мимо касс?

— Да, но вам придется оставить ваши покупки у касс, пока вы сходите за тележкой.

Section 2

Shopping for clothing / Покупка одежды

Words

clothing	одежда
hat	шляпа
baseball cap	бейсбольная кепка, бейсболка
scarf	шарф
T-shirt	футболка
tank top	майка с бретельками
blouse	блузка
sweater	свитер
sweatshirt	трикотажная рубашка
trousers	брюки
jeans	джинсы
sweatpants	трикотажные штаны
dress pants	выходные (парадные) брюки
cocktail dress	короткое нарядное платье
evening gown	длинное вечернее платье
casual wear	повседневная одежда
belt	ремень
purse	дамская сумочка
accessories	аксессуары
shoes	туфли, обувь
sneakers	кроссовки
pumps	туфли на каблуках
high heeled shoes	туфли на высоких каблуках
hiking boots	туристские ботинки
sandals	босоножки
pantyhose	колготки
underwear	нижнее бельё
lingerie	дамское бельё

skirt	юбка
suit	костюм
formal wear	официальная одежда
tuxedo	смокинг
department store	универмаг
boutique	бутик (небольшой магазин модной одежды)
outlet store	магазин от фабрики
retail	розничная торговля
thrift store	магазин ношеной одежды
fashion = vogue	мода
discount	скидка
clearance department	отдел уцененных товаров

Expressions

out of season	не по сезону
in season	по сезону
out of stock	нет в продаже
That is a popular style.	Это популярный фасон.
That is a designer label.	Это фирменная вещь.
This dress is one of a kind.	Это — уникальное платье.
half off	скидка 50%
half off the marked price	скидка 50% от указанной цены
damaged goods	бракованные товары
Don't worry, I'm just browsing.	Не беспокойтесь, я просто смотрю.
This is an excellent bargain. = This is an excellent deal.	Это отличная сделка (покупка).
This is an excellent price.	Это отличная цена.
This sale runs till the end of the month.	Эта распродажа продлится до конца месяца.
second-hand apparel	ношеная одежда
tremendous savings	огромная экономия
holiday sales	праздничные распродажи
price check	проверка цен
rain check	квитанция для отсроченного получения отсутствующего товара
hot trends	новинки моды
quality merchandise	качественный товар
wrinkle-free fabric	немнущаяся ткань
store-wide discounts	скидки во всем магазине

vintage clothing	одежда старых фасонов, ставшая опять модной
Going out of business!	Магазин закрывается (ликвидируется).
clearance sale	распродажа
We will get it in shortly.	Мы скоро это получим.
This is the designer's new line of clothing.	Это новая линия одежды этой фирмы.
This is an innovative design.	Это новый дизайн.
It's one of a kind.	Это единственная в своем роде вещь. Это уникальная вещь.

Dialogue

At the department store
— That hat looks lovely with your coat.
— Yes, but I'm not sure if it matches the rest of my outfit.
— Perhaps you're right; maybe you should get it in a different color.
— No, I like the color and the style suits me. I think I'll buy a blouse to match the hat.
— Try this one, it's a designer label, but it's a bit more expensive but it goes well with the style of the hat.
— Oh! It's beautiful. But I don't think I can afford it.
— We have a layaway plan if you're interested. We'll hold the item for you for up to 14 days.
— That would be wonderful! By then, I can save up the money.

В универмаге
— Эта шляпка очень мило смотрится с вашим пальто.
— Да, но я не уверена, подходит ли она ко всей остальной моей одежде.
— Возможно, вы правы; вам надо взять шляпку другого цвета.
— Нет, мне нравится цвет, и фасон идет мне. Я думаю, я куплю блузку, подходящую к шляпке.
— Померьте вот эту, на ней фирменная этикетка и она немного дороже, но она так хорошо подходит к фасону шляпки.
— Да, она очень красивая. Но я не уверена, что могу позволить себе купить ее.
— Вы можете заплатить не все сразу, если хотите. Мы придержим ее для вас на две недели.
— Это было бы прекрасно! За это время я смогу найти деньги.

Section 3

Buying a car / Покупка машины

Words

dealership	автомагазин
car	легковая машина
truck	грузовик
van	микроавтобус
station wagon	автофургон
convertible	машина с откидывающимся верхом
two-door model	двухдверная модель
four-door model	четырехдверная модель
sunroof	люк (в крыше)
trunk	багажник
hood	капот
automatic transmission	автоматическая коробка передач
stick shift	ручная коробка передач
headlights	фары
taillights	задние фонари
gear	скорость, передача
exhaust pipe	выхлопная труба
steering wheel	руль
heated seats	сиденья с подогревом
child safety seat	сиденье для ребенка
seat covers	чехлы на сиденьях
interior	внутренняя обивка
glove compartment	отделение для документов, «барда-чок»
make	марка
model	модель
SUV (sports utility vehicle)	машина типа джип
bumper	бампер
gas tank	бензобак
air bag	подушка безопасности
seat belts	ремни безопасности
inspection	техосмотр
registration	регистрация
license plates	номерные знаки
insurance	страховка

test drive	пробная поездка
trial run	пробный пробег
financing	финансирование (выдача займа)
lease	долгосрочная аренда
power steering	усилитель руля
four wheel drive	полный привод
luxury car	шикарная машина
date of delivery	дата получения
buy-out price	цена машины после окончания срока аренды
standard features	стандартный набор характеристик
extra features	дополнительные опции/«примочки»
hot rod	машина с повышенной мощностью
cruise control	автопилот, круиз-контроль
fully equipped	полностью оборудованный
fender	крыло (машины)

Expressions

It flies like the wind.	Она летит, как ветер.
Drive safely.	Ведите машину осторожно.
Do not tailgate!	Соблюдайте дистанцию.
drunk driving	вождение в нетрезвом состоянии
Better to be safe than sorry.	Безопасность лучше раскаяния.
Take every precaution.	Примите все меры безопасности.
It comes with a lifetime guarantee.	Предоставляется с пожизненной гарантией.
Customer satisfaction or your money back.	Гарантируем, что покупатель будет удовлетворен или возвращаем деньги (стандартная концовка рекламного объявления).
zero financing	беспроцентный кредит
The lease expires in three years.	Аренда заканчивается через три года.
renewal options	возможности для возобновления контракта
affordable repairs	ремонт по доступным ценам
The break pads need to be replaced.	Тормозные колодки необходимо заменить.
fender bender	незначительное столкновение
It was just a fender-bender.	Я слегка помял машину.
I'm stuck in traffic.	Я стою в пробке.

There are rubbernecking delays.	Машины идут вплотную друг к другу и очень медленно.
Put the pedal to the metal.	Нажать педаль газа до упора. Педаль в пол.
This is an awesome piece of machinery.	Великолепный образец техники.
Rev it up!	Прибавь газу! Жми на газ! Притопи! Газани!
Zero to 60 in no time.	Скорость от 0 до 60 набирается мгновенно.

Dialogue

At the dealership

- — Sir, can I show you one of our latest models?
- — Maybe. I'm looking for a set of fast wheels, preferably in red with a leather interior.
- — Is there a certain make or model that particularly interests you?
- — I'm thinking along the lines of a BMW convertible. Something to impress the ladies with.
- — Well, in that case this is one of our most popular models. It is fully loaded with the latest luxury options and usually makes an impression on the fairer sex.
- — Can I take it for a test drive?
- — Certainly. But you will have to fill out some paper work before you can take it out of the lot.

В автомагазине

- — Сэр, могу я предложить вам одну из наших последних моделей?
- — Может быть. Я ищу машину с хорошей скоростью, предпочтительно красного цвета и с кожаной отделкой салона.
- — Вы ищете определенную марку или модель?
- — Я думаю, что-то вроде БМВ с открывающимся верхом. Что-то, чем можно произвести впечатление на женщин.
- — Ну, в таком случае, вот одна из самых популярных моделей. Она полностью оборудована самыми последними прибамбасами и обычно производит впечатление на представительниц прекрасного пола.
- — Могу я на ней сделать пробную поездку?
- — Конечно. Вам только надо будет заполнить кое-какие бумаги перед тем, как взять ее со стоянки.

Section 4

Purchasing cosmetics / Покупка косметики

Words

cosmetics counter	отдел косметики
makeup artist	визажист
dermatologist	дерматолог
fragrance department	парфюмерный отдел
conditioner	кондиционер для волос
shampoo	шампунь
hair coloring	краска для волос
styling products	средства для укладки волос
tweezers	пинцет
eyebrow pencil	карандаш для бровей
eye liner	карандаш для глаз
mascara	тушь для ресниц
eye shadow	тени для век
glitter	блеск
blush	румяна
powder makeup	пудра
foundation	жидкая пудра
lip pencil	карандаш для губ
lip gloss	блеск для губ
lipstick	помада
chap stick	бесцветная помада
purse mirror	зеркальце
hairbrush = brush	щетка для волос
comb	расческа
anti-aging cream	крем от морщин
eye cream	крем для глаз
skin firming cream	крем для подтяжки кожи
face-lift	подтяжка кожи лица
facial lifting complex	комбинированный крем для под-тяжки кожи лица
hair straightening balm	бальзам для выпрямления волос
makeup remover	средство для снятия макияжа
skin clarifying lotion	очищающий лосьон
moisturizing lotion	увлажняющий лосьон
cleansing foam	очищающая пенка

perfume	духи
cologne	одеколон
scent	запах

Expressions

age appropriate makeup	косметика, подходящая по возрасту
That is an alluring scent.	Это приятный запах.
the natural look	естественный вид
a light scent	легкий запах
a heavy scent	тяжелый запах
There is a free gift when you make a purchase over $40.	(Вам полагается) подарок при покупке товаров более, чем на 40 долларов.
Promotions are seasonal.	Только сезонные скидки.
personal makeover	смена имиджа
overpowering scent	резкий запах
to sample the perfume	попробовать духи
a complimentary consultation	бесплатная консультация
a healthy blush	здоровый румянец
cold cream	крем для снятия макияжа
sun screen lotion	защитный лосьон от солнца
a hint of perfume	след духов
The makeup enhances your features.	Эта косметика подчеркивает достоинства вашей внешности.
Perfume accentuates the elegance of an outfit.	Духи подчеркивают элегантность вашей одежды.
These aren't wrinkles, they're laugh lines.	Это не морщины, а складки от смеха.

Dialogue

Buying cosmetics

— I'm thinking of getting a makeover. Do you have any suggestions?

— Our makeup artist will be glad to assist you in this matter. However, if you'd like a more in-depth consultation, our dermatologist is here every Tuesday.

— I'm looking for a product that will hide existing wrinkles and also for a product that will prevent new ones from appearing.

— For wrinkle prevention we offer a basic line of anti-aging creams and lotions. As for concealing lines that have already appeared, apply a light coat of foundation.

— I was also wondering about the perfumes that you offer this season.

— We have an array of perfumes and colognes. Are you interested in a light or a heavy scent?

— I'm looking for something heavier, although not overpowering. A fragrance for evenings on the town.

— These fragrances fit that description. They let your presence be known without being too powerful.

Покупка косметики

— Я бы хотела изменить свой стиль. Что вы можете мне предложить?

— Наш визажист с удовольствием вам поможет. Однако, если вам нужна более серьезная консультация, наш дерматолог бывает здесь по вторникам.

— Я ищу средство, которое скроет морщины, а также средство, которое предотвращает появление морщин.

— Для предупреждения морщин мы предлагаем стандартный набор кремов и лосьонов от старения. А чтобы скрыть морщины, которые уже появились, нанесите тонкий слой жидкой пудры.

— Я бы также хотела узнать о духах, которые вы предлагаете в этом сезоне.

— У нас масса духов и одеколонов. Вас интересуют легкие или сильные запахи?

— Я ищу что-то посильнее, но не резкое. Духи, чтобы пойти на вечеринку.

— Вот эти духи подойдут. Они сделают ваше присутствие заметным, но не назойливым.

Exercises

Упражнение 1

Вставьте пропущенный глагол.

A. ___ the exit located before or after the checkout?
   (*are; is; were; where*)

B. We are ___ for a leather purse. (*thinking; seeing; looking; needing*)

C. He is ___ to purchase that car. (*going; go; want; thinking*)

D. I will need to ___ the car before buying it. (*go; ride; pay; drive*)

E. We thought the perfume ___ on sale. (*is; were; be; was*)

Упражнение 2
Вставьте пропущенное слово.

A. We went to the ___ to buy a car.
   (*dealership; store; supermarket; outlet*)

B. The supermarket does not sell ___.
   (*milk; frozen products; blouses; detergent*)

C. They do not accept ___, we had to pay cash.
   (*payment; credit cards; signatures; layaway*)

D. The item is ___, we no longer have it.
   (*out of stock; no more; tired out; out of order*)

E. We took the car for a ___ before we bought it.
   (*examination; look; test drive; trial ride*)

Упражнение 3
Вставьте пропущенный предлог.

A. Can I help you ___ something. (*at; for; by; with*)

B. This shirt is available ___ three colors. (*at; from; in; as*)

C. We paid for the groceries ___ cash. (*with; by; as; in*)

D. The car was ___ fire! (*into; on; as; under*)

E. The cereal can be found ___ the end of the aisle. (*on; at; by; in*)

Упражнение 4
Выберите нужное слово в каждом предложении.

A. We ___ to buy the wine, but they did not have any.
   (*tried; try; look; looked*)

B. You have to ___ the product before its expiration date.
   (*eat; sell; pay; make*)

C. The clerk ___ an announcement about the sale.
   (*talked; spoke; made; said*)

D. The makeup enhances your ___.
   (*features; face; clothes; glamour*)

E. How much are you ___ for it?
   (*talking; making; asking; telling*)

Упражнение 5

Выберите нужное слово в каждом предложении.

A. We ___ bank financing. (*talk; make; ask; offer*)

B. This is one of our most ___ models. (*different; popular; good; offering*)

C. The car didn't ___ this morning. (*pull; make; start; push*)

D. You will have to ___ out some paper work. (*fill; make; ask; bring*)

E. This is the designer's new ___ of clothing. (*change; make; start; line*)

Упражнение 6

Сделайте предложение вопросительным.

A. The milk and cookies will go well together._____

B. I have seen some shoes in this store._____

C. The sweater suits you._____

D. You can take this car for a test drive._____

E. The perfume gave off a powerful scent._____

Упражнение 7

Сделайте предложение отрицательным.

Дайте ответ, употребив краткую отрицательную форму глагола.
A. We would like to sample the perfume.

_____

B. The car broke down during the trial run.

_____

C. The blouse looked darker than her pants.

_____

D. The perfume left traces on her clothes.

_____

E. He is taking this car for a ride.

_____

Упражнение 8

Вставьте правильное слово.

1. The person who takes care of somebody is called a ___.

   (*care-taker; taker; talker; helper*)

2. A tool used for removing a can lid is a ___.

   (*can opening; open canner; can opener; can remover*)

3. The event made her see the truth, it was a real ___.

   (*eye-breaker; revealing; eye-opener; ice-breaker*)

4. He was sent to jail because he was a ___.

   (*wrong-doer; trouble maker; house keeper; house breaker*)

5. He was a professional killer, hanging people was his job. He was called the ___. (*hanger; hangover; hangman; hangar*)

Phonetics

Чтение буквы R после гласной

Буква **R** (в отличие от британского варианта) произносится не в полную силу, но отчетливо в положении между гласной и согласной — **hard** [hɑːrd], а также на конце слова — **star** [s tɑːr].

car [kɑːr]

bar [bɑːr]

far [fɑːr]

star [s tɑːr]

tsar [t sɑːr]

hard [hɑːrd]

card [kɑːrd]

cart [kɑːr t]

mark [mɑːrk]

shark [ʃɑːrk]

regard [r ɪˈgɑːrd]

part [pɑːr t]

start [s tɑːrt]

smart [sm ɑːrt]

cord [kɔːrd]

board [bɔːrd]

ford [f ɔːrd]

lord [l ɔːrd]

word [w ə·rd]

actor [ˈæk tər]

doctor [ˈdɔktər]

sugar [ˈʃʊgər]

beggar [ˈbegər]

familiar [f əˈmɪl jər]

Let's Practice

Переведите с русского на английский. Потом сверьте свой вариант с ответом на обороте страницы.

At the supermarket / В универсаме

1. В какое время вы закрываетесь в будни?

2. Сигареты здесь по сниженной цене; покупаешь одну пачку, вторая — бесплатно.

3. У меня нет наличных, вы принимаете кредитки?

4. Я не привык стоять в очереди.

Shopping for Clothing / Покупка одежды

5. Я еще не готов покупать, я просто смотрю.

6. Скидка 50% на все несезонные вещи.

7. Мне нужен шарф, который подходит к этому пальто.

8. Эти ботинки не подходят мне — они слишком тесны.

Buying a car / Покупка машины

9. Вы имеете в виду какую-то конкретную модель?

10. Вы покупаете машину или берете в аренду?

11. Как вы планируете финансировать вашу покупку?

12. Эта машина очень мощная — возьмите ее на пробную поездку и вы увидите.

Purchasing Cosmetics / Покупка косметики

13. Какие духи вы употребляете?

14. Я купила этот крем для глаз с огромной скидкой.

15. Лосьоны и кремы — прекрасные праздничные подарки.

16. Наш девиз: ходи по магазинам, пока не свалишься.

Проверьте себя

At the supermarket / В универсаме

1. At what time do you close on weekdays?
2. Sigarettes are on sale here — buy one pack, get one free.
3. I don't have cash, do you accept credit cards?
4. I'm not used to standing in line.

Shopping for clothing / Покупка одежды

5. I'm not ready to buy yet, I'm just browsing.
6. All out of season items are 50% off.
7. I need a scarf that matches this coat.
8. These boots don't fit me — they are too tight.

Buying a car / Покупка машины

9. Do you have in mind any particular model?
10. Are you buying the car or leasing it?
11. How do you plan to finance your purchase?
12. This car is very powerful — take it for a test drive and you will see.

Purchasing cosmetics / Покупка косметики

13. What kind of perfume are you wearing?
14. I bought this eye cream at a huge discount.
15. Lotions and creams make great holiday gifts.
16. Our motto is: shop until you drop.

Telephone Conversations

Телефонные разговоры

Let's Study

1. Seeing Is Believing

В прошлой главе мы начали разговор о формах глагола — основных образующих элементах английской грамматики. На этот раз давайте детально разберемся с одной из этих форм.

Речь пойдет о непривычной для нас **-ing**-форме английского глагола, когда частичка **-ing** присоединяется к его основе: **read — reading**; **love — loving**; **sit — sitting** (при этом «немое» **e** на конце глагола опускается, а концевая согласная иногда удваивается, чтобы не изменилось произношение предшествующей гласной).

У **-ing**-формы в английском языке три очень важные функции: построение причастия, герундия и времен группы *Continuous*. О временах этой группы мы будем говорить отдельно, а сейчас рассмотрим первые две функции.

Причастие является определением, образованным от глагола: пишущий — **writing**; работающий — **working**; сидящий — **sitting**.

> **The girl opening the door wants to see you.** — Девушка, открывающая дверь, хочет вас видеть.

В отличие от русского причастного оборота, английский не выделяется запятыми. Вдобавок к этому, английское причастие исполняет еще и ту роль, которую играет русское деепричастие:

> **Living in this country, he knows little about it.** — Живя в этой стране, он мало о ней знает.

В первом случае причастие относится к отдельному существительному **girl**, во втором — ко всему предложению (в этом случае оно отделяется запятой).

Скорее всего, **-ing**-форма глагола **to be** не собьет вас с толку, — это вполне обычное деепричастие:

> **Being his friend, I cannot do that.** — Будучи его другом, я не могу этого сделать.

Вам следует обращать внимание на причастия, когда вы встречаете их в текстах и в разговоре — без них речь суха, безжизненна. Итак, первый совет — приглядеться, привыкнуть к причастиям.

2. Герундий

Теперь давайте рассмотрим герундий. Эта тема потруднее, но исключительно важна. Герундий — это, по сути, глагол, сделавший шаг в сторону существительного, но остановившийся на полпути. Сравните: **I like to swim. — I like swimming. — Swimming is my favorite sport.** В первой фразе swim это явный глагол; в последней его трудно отличить от существительного. К сожалению, в этом случае русская аналогия помогает мало. В русском подобного рода слова, образованные от глаголов (плавание, чтение) называются отглагольными существительными; однако они ушли от глагола еще дальше, чем герундий в английском. Но даже и таких слов в русском языке не так уж много. Для большинства русских глаголов такая форма (делание, играние) была бы понятной, но неестественной. Так что лучше признать, что в русском языке аналога английского герундия нет, и изучать его с нуля.

В английском языке герундий можно образовать практически от каждого глагола (кроме модальных), и употребляется он очень широко. Переводить герундий на русский язык надо глаголом; потом фразу можно подкорректировать:

> **Seeing is believing.** — Увидеть — значит поверить. (пословица — Лучше один раз увидеть ...)
> **Reading is useful.** — Читать полезно. (Чтение полезно).
> **No smoking.** — Не курить.
> **No parking.** — Не парковать машину. (Парковки нет).

Давайте еще раз вглядимся в две фразы, означающие одно и то же:

> **Children like to play. — Children like playing.**

Глагол **like** только начинает фразу, а дальше могут стоять инфинитив или герундий, т.е. они как бы конкурируют между собой, борются за место в предложении. Силы их в этом отношении примерно равны, а «делят добычу» они очень интересным образом. Оказывается, что в английском языке глаголы, которые «ведут за собой» второй глагол, делятся на три группы:

1-я группа — допускает после себя только инфинитив;

<u>2-я группа</u> – допускает после себя только герундий;

<u>3-я группа</u> – допускает после себя и то и другое.

Таких глаголов («выбирающих глагол после себя») не так уж много; мы приведем самые распространенные:

1-я гр. – **want, need, try, hope, decide**;

    I want to sleep. – Я хочу спать.

    We hope to see you. – Мы надеемся вас увидеть.

2-я гр. – **stop, finish, keep, mind, enjoy**;

    Stop talking. – Перестаньте разговаривать.

    Keep writing. – Продолжайте писать.

    You should stop smoking. – Вам следует бросить курить.

    She enjoys dancing. – Она обожает танцевать.

3-я гр. – **like, love, start, begin, continue**;

    They started to dance. = They started dancing. – Они начали танцевать.

Как видите, глаголы, которые допускают после себя инфинитив, встречаются чаще; но у герундия есть неожиданный козырь – если после первого глагола следует предлог, то за ним может стоять только герундий:

    Thank you for calling. – Спасибо, что позвонили.

    Thank you for coming. – Спасибо, что пришли.

    I'm fond of jogging. – Я увлекаюсь бегом трусцой.

Поверьте – это очень важный момент; поначалу даже пассивно приглядеться и научиться замечать разные формы глагола – уже достижение.

    I apologize for being late. – Извините, что опоздал.

    We worked without talking. – Мы работали, не разговаривая.

    He went out without saying anything. – Он вышел, ничего не сказав.

    She went home instead of coming here. – Она пошла домой, вместо того, чтобы прийти сюда.

    It goes without saying. – Само собой разумеется.

3. Герундий перед существительным

Вот еще несколько пословиц с герундием, попробуйте перевести их сами:

    Doing is better than saying.

    A good beginning makes a good ending.

    A clean hand wants no washing.

Итак, одна серьезная и непривычная для нас проблема – «борьба инфинитива и герундия за место в середине предложения». Это еще

не все — герундий «отбивает хлеб» и у своего брата-причастия, когда можно занять место перед существительным. Однако здесь борьбы не происходит; они как бы разделили сферы влияния. Сравните:
-ing-форма — причастие; здесь оба слова ударны:

a 'reading 'boy — читающий мальчик

a 'writing 'girl — пишущая девочка

a 'drinking 'dog — пьющая собака

-ing-форма — герундий; здесь одно общее ударение:

a 'reading lamp — настольная лампа

a 'writing table — письменный стол

'drinking water — питьевая вода

Причастие ближе к глаголу и описывает действие, а герундий — к существительному, и описывает назначение объекта; примеров здесь множество — самые обиходные слова:

a 'dining room — столовая (комната)

a 'swimming pool — плавательный бассейн

a 'sewing machine — швейная машина

'working clothes — рабочая одежда, спецодежда

'writing paper — писчая бумага

a 'bathing suit — купальный костюм

'running water — водопроводная вода

a 'calling card — телефонная карта

a greeting card — поздравительная открытка

В заключение я хочу добавить, что **-ing**-форма крайне часто встречается в книжных и газетных заголовках. Вот типичный заголовок книги:

Getting a Job and Keeping It. — Как найти работу и сохранить ее.

4. Английские приставки

Давайте поговорим об английских приставках: иногда они кажутся нам простыми, иногда — не очень; ясно одно — без понимания того, как действуют эти маленькие частички, изучение языка идет туго.

Самая распространенная английская приставка — это **in-**; у нее есть два совершенно разных значения. Приведем сначала примеры, соответствующие паре **in — out** (внутри — снаружи, это — упрощенный перевод):

income — доход, приход, поступления.

You have to pay taxes on income over $7,000. — Доходы свыше 7 тысяч долларов облагаются налогом.

outcome — результат, исход

the final outcome of the elections — окончательные результаты выборов.

(Обратите внимание, что знакомые вам слова **inside — outside** могут также быть существительными, хотя на русский они обычно переводятся как наречия):

The outside of this house is painted green. — Снаружи дом покрашен в зеленый цвет.

The inside of this cake is quite hard. — Начинка этого пирожного жестковата.

incoming/outgoing calls — входящие/исходящие телефонные звонки

No outgoing calls, please! — Телефоном не пользоваться! (Вы можете ответить на звонок, но сами позвонить не можете).

Вот еще два важных «медицинских» слова:

inpatient — пациент, который лежит в клинике

outpatient — амбулаторный больной.

Иногда приставка **in-** принимает измененную форму **im-** (в этом случае противоположной ей является приставка **e-** или **ex-**):

immigration — иммиграция

emigration — эмиграция

Возьмем, к примеру, корень **port-**, который имеет латинское происхождение и означает «нести, везти»; тогда становится понятным изначальный смысл привычных слов **import — export** (ввоз — вывоз) и **transport** — перевоз; отсюда же идут слова **porter** — носильщик и **important** — важный, т.е. привносящий значимость.

5. Отрицательные приставки

А сейчас обратимся к отрицательным приставкам (они образуют огромное количество слов). Две самые важные из них — **un-**, **in-** (второе значение). Хотя эти две приставки и совпадают по смыслу, но также, как русские «не-» и «без-», друг друга заменять не могут — язык использует только один вариант каждого слова:

un-: тяготеет к словам исконно английского происхождения:

unhappy — несчастливый

unlucky — невезучий

unknown — неизвестный

unconscious — бессознательный; потерявший сознание

to undress — раздевать(ся)

uneasy — стесненный; неловкий; беспокойный;

in-: встречается в словах латинского происхождения:

incorrect — неверный

inevitable — неизбежный
incredible — невероятный
innocent — невинный.

Эта приставка изменяет свою согласную, согласовывая ее с первой буквой корневого слова:

im-: перед **m, p: impossible** — невозможный; **immortal** — бессмертный;

ir-: перед **r: irresponsible** — безответственный;

il-: перед **l: illegal** — незаконный

Есть еще несколько менее распространенных отрицательных приставок:

non-: присоединяется к существительным и прилагательным:

non-stop — безостановочный;

non-stop flight — беспосадочный перелет;

non-smoker — некурящий;

nonprofit — некоммерческий;

nonprofit organization — организация, не ставящая целью извлечение прибыли.

dis-: присоединяется к глаголам (в русском она иногда заимствуется — «дискомфорт»):

dislike — не любить;

disagree — не соглашаться.

mis-: «хитрая» приставка, в русском такой нет. Показывает, что действие совершается неправильно:

misunderstand — неправильно понимать;

You misunderstood me. — Вы меня неправильно поняли.

It's just a misunderstanding. — Это просто недоразумение.

misleading advertisement — реклама, вводящая в заблуждение

И, наконец, приставка **mal-**, означающая «плохой», «дурной» (этот же корень прослеживается в слове **malign** — дурной, злой; злокачественный):

malnutrition — плохое питание;

malpractice — преступная небрежность врача при лечении больного;

malpractice insurance — страховка от подобного обвинения, которой пользуются врачи в Америке.

6. Суффикс -ABLE

Поговорим в заключение об одном важном суффиксе, который часто сочетается с отрицательными приставками. Исходным для него является прилагательное able — способный, могущий.

He is an able artist. — Он способный художник.

able to perform military service — годный к прохождению военной службы

Суффикс **-able** присоединяется к глаголу, образуя прилагательное, и показывает, что названное действие можно осуществить:

transportable — переносной (транспортабельный)

readable — «читабельный» (который можно читать)

Обратите внимание на то, что в русском языке такого суффикса нет, и поэтому он понемногу заимствуется (в словах типа «диссертабельный»). Однако таких слов немного, и обычно перевод приходится подыскивать:

laughable — смехотворный

lovable — привлекательный

recognizable — узнаваемый

workable — осуществимый; годный для обработки

eatable (у этого слова есть синоним **edible**) — съедобный

drinkable — годный для питья

Вы видите, как удобен данный суффикс. Очень часто он употребляется в сочетании с отрицательными приставками:

incurable — неизлечимый

unreliable — ненадежный (нельзя положиться)

unthinkable — немыслимый

unbelievable — невероятный (нельзя поверить)

uncountable — неисчислимый

unacceptable — неприемлемый.

Забавная иллюстрация употребления этого суффикса — под Иерусалимом есть источник, из которого, по преданию, пила Дева Мария. Над ним прибита теперь доска с прозаической надписью: **The water is undrinkable.**

Section 1

Talking to an operator / Разговор с оператором

Words

telephone installation	установка телефона
repair service operator	оператор службы ремонта
call forwarding	переадресация вызова
caller ID	определитель номера
directory assistance	помощь оператора

call waiting = a second line	режим удержания вызова = вторая линия
unlisted number	номер, не внесенный в справочник
a pay (public) phone	телефон-автомат

Expressions

to have an unlisted phone number	иметь номер, который не внесен в телефонный справочник
to call directory assistance	позвонить в справочную
to cancel the account	закрыть счет
to set up telephone service	подключить телефон
to make a collect call	сделать звонок за счет вызываемой стороны
to change a long distance provider	сменить компанию междугородной связи
Is this a business or residence?	Это учреждение или квартира?
No outgoing calls, please!	Телефоном не пользоваться! (Вы можете ответить на звонок, но сами позвонить не можете).
I'd like to make a collect call.	Я бы хотел позвонить за счет вызываемого.
Should I call directory assistance?	Должен ли я позвонить в справочную?
What is the area code for Las Vegas?	Какой код Лас Вегаса?
My long-distance rates are very high.	Мои расценки на междугородную связь слишком высоки.

Dialogue

Talking to an operator
— This is customer service, how can I help you?
— Hello, I would like to cancel telephone service in my old apartment.
— All right, will you be installing new service somewhere else?
— Yes, I am moving this weekend to another neighborhood.
— Do you want your new number to appear in the directory?
— No, I want an unlisted number.
— And do you want call waiting and call forwarding?
— Yes please, I would like the complete package.

Разговор с оператором
— Отдел обслуживания абонентов, чем могу вам помочь?
— Здравствуйте, я бы хотел отключить телефон в моей старой квартире.

— Хорошо, Вы будете его устанавливать где-то в другом месте?
— Да, я переезжаю в другой район на этих выходных.
— Вы хотите, чтобы ваш новый номер появился в телефонной книге?
— Нет, мне нужен неопубликованный номер.
— Хотите ли вы вторую линию и переадресацию звонков?
— Да, пожалуйста, я бы хотел получить полный пакет услуг.

Section 2

Mobile phone / Мобильный телефон

Words

cell phone = mobile phone	мобильный телефон
service contract	контракт на обслуживание
service provider	компания, предоставляющая телефонные услуги
service area	зона действия
rechargeable battery	аккумулятор
landline	обычная (городская) телефонная линия
activation fee	плата за подключение связи
termination fee	плата за досрочное прерывание контракта
car recharger	автомобильное зарядное устройство (для телефона)

Expressions

a hands-free set = a headset	наушники (для мобильного телефона)
headphones	наушники (для стереоаппаратуры)
dropped call	сорвавшийся звонок
missed call	пропущенный звонок
unknown call	не определяемый (определителем номера) звонок
There is no signal here.	Здесь нет сигнала./ Здесь нет приема.
to lose a signal	потерять сигнал
Call me on my cell.	Позвони мне на мобильный.
I'm sorry, I was cut off.	Извините, нас разъединили.
To access your messages, dial 1-2-3.	Чтобы снять свои сообщения, наберите 1-2-3.

I need to recharge my cell phone.	Мне надо зарядить мобильник.
to save a phone number	сохранить номер в памяти телефона
to adjust a ringer volume	отрегулировать громкость звонка
to select a ringer type	выбрать тип звонка мобильного телефона
What area code am I in?	Какой здесь код города?
Is this a local call, or long-distance?	Это местный звонок или междугородный?
You shouldn't use your cell phone while you are driving.	Не следует пользоваться мобильным телефоном во время вождения.
In case of an emergency, dial 911.	В случае чрезвычайного происшествия наберите 911.

Dialogue

Mobile phone

— Excuse me for a moment; I need to make a call on my cell.

— Do you have a signal here? My phone doesn't work in this area.

— Sometimes I have a dropped call, but my service provider is pretty good.

— Are you happy with your service contract, or you are going to change it?

— Well, my cell phone is old. I need to recharge the battery very often. And the quality of sound is far from perfect.

— Same thing with me. I always make important phone calls on my landline when I get home.

Мобильный телефон

— Извините, одну минуту, мне надо сделать звонок по мобильному телефону.

— У вас здесь есть прием? Мой телефон не работает в этом месте.

— Иногда звонки прерываются, но, в основном, у меня хороший сервис.

— Вы довольны своим контрактом или собираетесь его менять?

— Знаете, мой сотовый телефон довольно старый. Очень часто приходится заряжать аккумулятор. И качество связи оставляет желать лучшего.

— У меня тоже самое, я всегда делаю важные звонки по обычному телефону, когда прихожу домой.

Section 3

Personal conversation / Личный разговор

Words

phonebook	телефонная книга
personal call	звонок по личному вопросу, личный звонок
answering machine	автоответчик
cordless phone	переносная телефонная трубка
phone jack	телефонная розетка
touch-tone phone	телефон с кнопочным набором
speed-dial	ускоренный набор
to hang up	повесить трубку
to pick up the receiver	снять трубку
calling card	телефонная карта
unwanted calls	непрошенные звонки (например, с целью рекламы)
phone booth	телефонная будка
redial key	клавиша повторного набора

Expressions

Pass the receiver to Ted, please.	Пожалуйста, передай трубку Теду.
to get a wrong number	соединиться с неправильным номером
to leave a message on an answering machine	оставить сообщение на автоответчике
to get through to a number	соединиться с номером, прозвониться
I'll try to call you at another time.	Я попробую перезвонить тебе в другое время.
to look up somebody in the phonebook	найти чей-то номер в телефонной книге
You can reach me at my home number tonight.	Вы можете застать меня по домашнему номеру сегодня вечером.
Leave a message and I will return your call as soon as possible.	Оставьте сообщение, и я вам перезвоню, как только смогу.
Start speaking after a short beep.	Начинайте говорить после короткого гудка.

Dialogie

Personal conversation

- Hi, Tina. I need to ask you something. Can you talk right now?
- Hi, Billy. I'm sorry; I'm on the other line right now. Can I call you back in ten minutes?
- You know, I'd rather wait if you don't mind. I have just one quick question.
- Then hold the line, I'll be with you shortly. Okay, I'm here, sorry to keep you waiting.
- I can't get in touch with Jessica. Did she go somewhere?
- I don't think so. She was out of town for a while but yesterday I saw her at the bank.
- I'm afraid she is just screening her calls now.
- Leave a message on her answering machine; you have no other choice.

Личный разговор

- Привет, Тина! Мне надо у тебя кое-что спросить. Ты сейчас можешь говорить?
- Привет, Билли! Извини, но я сейчас говорю по второй линии. Я могу тебе перезвонить через 10 минут?
- Ты знаешь, я лучше подожду, если ты не возражаешь. У меня только один короткий вопрос.
- Тогда не вешай трубку, оставайся на связи. Ну вот, я здесь; извини, что заставила тебя ждать.
- Я никак не могу связаться с Джессикой. Она, что, уехала куда-то?
- Я не думаю; она была в отъезде какое-то время, но вчера я видела ее в банке.
- Я боюсь, она не снимает трубку, пока не узнает, кто звонит.
- Оставь ей сообщение на автоответчике, тебе ничего другого не остается.

Section 4

Business conversation / Деловой разговор

Words

extension number	добавочный номер
voice mail	голосовая почта
conference call	разговор с несколькими абонентами одновременно

automated directory	автоматическая справочная
direct number	прямой номер
office number/work number	рабочий номер
receptionist	дежурная
incoming calls	входящие телефонные звонки
outgoing calls	исходящие телефонные звонки

Expressions

to direct a call = to transfer a call	перевести звонок
Hold the line. = Hold on.	Не вешайте трубку.
I'll put you on hold.	Ждите, я вас сейчас соединю.
to leave a message with a secretary	оставить сообщение у секретаря
to put through = to connect someone with someone else	соединить с кем-нибудь
to call back at another time	перезвонить в другое время
to page someone	вызвать кого-то по внутренней связи
Pick up the other phone.	Возьмите другой телефон.
I am uncomfortable leaving messages on answering machines.	Я не люблю оставлять сообщения на автоответчике.
I would prefer to call back another time.	Я лучше перезвоню в другой раз.
Nobody can pick up the phone right now.	Сейчас никто не может подойти к телефону.
All circuits are busy, please call again later.	Все линии заняты, пожалуйста, перезвоните позже.
Please hang up and call back later.	Положите трубку и позвоните позже.
Could you give the phone to your manager?	Вы не могли бы передать трубку вашему менеджеру?
Could somebody get the phone?	Кто-нибудь, возьмите трубку.
Don't answer that; it's probably a telemarketer.	Не отвечай, это, наверное, телефонная реклама.
I don't like to give out my phone number to people I don'tknow well.	Я не люблю давать свой номер телефона людям, которых я не знаю.

Dialogue

Business conversation

— Hello, may I speak to Mr. Jones? This is Ted Carter returning his call.

— Please hold while I see if he is in his office. I'm sorry, he's stepped out. May I put you through to his voice mail?

— Oh, that's unfortunate. Maybe I'll call back later. Can you tell me his direct number?

— If you call the main number again, the receptionist will be happy to transfer you to the correct extension.

— Okay. Maybe I should leave a message after all. Do you know when he will be back?

— I have no idea. You can try at the end of the business day.

— Till what time will he be in the office?

— Usually he is here till five but today he may be staying late.

Деловой разговор

— Алло, я могу поговорить с мистером Джонсом? Это Тед Картер, я звоню в ответ на его звонок.

— Пожалуйста, подождите, я посмотрю, на месте ли он. К сожалению, он вышел. Я могу переключить вас на его автоответчик.

— Спасибо, но мне это не очень подходит. Может быть, я перезвоню позже. Вы можете дать мне его прямой номер?

— Если вы опять позвоните по нашему основному номеру, дежурная с удовольствием переключит вас на нужный добавочный.

— Хорошо. Наверное, мне все-таки придется оставить сообщение. Вы знаете, когда он вернется?

— Понятия не имею. Вы можете попробовать позвонить в конце рабочего дня.

— До которого часа он будет на работе?

— Обычно он здесь до пяти, но сегодня, возможно, задержится.

Exercises

Упражнение 1

Вставьте пропущенный глагол.

A. I'd like to ____ a collect call. (*have; do; make; take*)

B. Nobody can ____ the phone right now. (*tell; answer; come; need*)

C. ____ up and dial again. (*pick; go; take; hang*)

D. ____ a message on her answering machine. (*say; leave; call; speak*)

E. Please ____ while I see if he is here. (*stay; hold; listen; get*)

Упражнение 2

Вставьте пропущенное слово.

A. Start speaking after a short ___. (*sound; beep; call; ring*)

B. This is ___ service, how can I help you?
(*phone; consumer; customer; local*)

C. I need to recharge the ___ very often.
(*payment; extension; receiver; battery*)

D. You need to call directory ___. (*assistance; help; service; operator*)

E. There is a ___ phone at the back of the store.
(*payable; common; local; public*)

Упражнение 3

Вставьте пропущенный предлог.

A. He is ___ the other phone. (*at; on; by; with*)

B. She was ___ of town for a while. (*far; from; outside; out*)

C. I'll be ___ you shortly. (*with; by; near; beside*)

D. May I put you ___ to his voice mail? (*into; on; through; out*)

E. You can try ___ the end of the business day. (*on; at; for; in*)

Упражнение 4

Выберите нужное слово в каждом предложении.

A. Today he may be ___ late. (*sitting; trying; being; staying*)

B. Nobody can ___ your question. (*answer; tell; say; make*)

C. The operator ___ me on hold. (*connected; spoke; made; put*)

D. Our receptionist will ___ you to the correct extension.
(*bring; transfer; place; send*)

E. I have a lot of ___ calls. (*unlucky; unwanted; unasked; unhappy*)

Упражнение 5

Выберите нужное слово в каждом предложении.

A. ___ the receiver. (*talk; pick up; ask; collect*)

B. She is not ___. May I take a message?
(*interested; found; available; working*)

C. I would prefer to ___ back another time. (*call; make; send; talk*)

D. I need to ___ a phone jack. (*fill; install; ask; bring*)

E. I'd like to adjust a ringer ___. (*change; degree; volume; line*)

Упражнение 6
Сделайте предложение вопросительным.

A. There is a payphone in this building._____

B. He will be staying late in the office._____

C. The phone rang four times._____

D. You can call me later tonight._____

E. He has stepped out for a while._____

Упражнение 7
Вставьте пропущенный предлог.

A. Call me ___ the morning. (*on; in; at; for*)

B. Call her ___ Sunday morning. (*on; in; at; for*)

C. Thank you ___ calling. (*on; in; at; for*)

D. She waited all morning ___ her boyfriend to call. (*on; in; at; for*)

E. Don't yell ___ me, or I will hang up. (*on; in; at; for*)

Phonetics

Чтение буквы O в закрытом слоге
Буква **O** в закрытом слоге (т.е. когда за ударной гласной следует одна или более согласных) произносится протяжно, но в отличие от британского варианта, ближе к звуку [a]:

hot [hɔt]
pot [pɔt]
fox [fɔks]
box [bɔks]
sock [sɔk]
rock [rɔk]
lock [lɔk]
drop [drɔp]
stop [stɔp]
bond [bɔnd]
monk [mɔŋk]
honk [hɔŋk]

dollar ['dɔlər]
clock [klɔk]
stock [stɔk]
block [blɔk]
shock [ʃɔk]
knock [nɔk]
pocket ['pɔkɪt]
rocket ['rɔkɪt]
peacock ['piːˌkɔk]
wedlock ['wedlɔk]
doctor ['dɔktər]
common ['kɔmən]

Let's Practice

Переведите с русского на английский. Потом сверьте свой вариант с ответом на обороте страницы.

Talking to an operator / Разговор с оператором

1. Где здесь ближайший телефон-автомат?

2. Междугородние расценки за последнее время понизились.

3. Проверьте номер и наберите его снова.

4. Этот номер отключен.

Mobile phone / Мобильный телефон

5. Я звоню тебе с телефона моего товарища.

6. Позвони мне по другому номеру.

7. Немедленно повесьте трубку и никогда мне больше не звоните.

8. Я никогда не звоню по мобильному телефону, когда веду машину.

Personal conversation / Личный разговор

9. Сегодня вечером вы можете застать меня дома.

10. Не стесняйтесь звонить мне, если я вам нужен.

11. Он никогда не выключает свой автоответчик.

12. Я говорил с ним по телефону, и неожидано меня разъединили.

Business conversation / Деловой разговор

13. Сейчас никто не может подойти к телефону.

14. Кто-нибудь другой постарается вам помочь.

15. Вы можете соединить меня с вашим руководителем?

16. Он сейчас говорит по другому телефону; хотите подождать?

Проверьте себя

Talking to an operator / Разговор с оператором

1. Where is the nearest payphone in this area?
2. Long-distance rates went down lately.
3. Please check the number and dial again.
4. This number has been disconnected.

Mobile phone / Мобильный телефон

5. I'm calling you from my friend's phone.
6. Call me at a different number.
7. Hang up immediately and never call me again.
8. I never use my cell phone while I am driving.

Personal conversation / Личный разговор

9. You can reach me at home tonight.
10. Feel free to call me when you need me.
11. He never turns off his answering machine.
12. I was talking to him on the phone and suddenly got disconnected.

Business conversation / Деловой разговор

13. No one is available to come to the phone right now.
14. Someone else will try to help you.
15. Can you connect me with your manager, please?
16. He is on the other phone now; would you like to hold?

Eating Out

В ресторане

Let's Study

1. Времена группы *Continuous*

Для того чтобы уверенно употреблять эту непривычную для нас временную форму, надо разобраться, как устроена в целом система английских времен.

Кроме понятного нам деления событий в соответствии со временем, к которому они относятся (прошедшее, настоящее, будущее), английские глагольные времена разбиваются еще и на «смысловые группы». Этих групп всего четыре, нас же сейчас интересуют две (*Indefinite* и *Continuous*). Давайте разберем словарные семьи этих названий.

1) (**v**) **define** – определять; (**n**) **definition** – определение; (**a**) **indefinite** – неопределенный

В английских учебниках времена группы *Indefinite* иногда называют простыми (например, *Simple Past*).

2) (**v**) **continue** – продолжать; (**n**) **continuation** – продолжение; (**a**) **continuous** – продолженный, длительный.

У этого названия тоже есть синоним: *Progressive Tense*. Как раз этот термин, возможно, более нагляден.

> **It means that the action is in progress at the moment under consideration.** – Он означает, что действие находится в развитии в данный момент.

Попробуем теперь разобраться средствами русского языка, зачем могут понадобиться два настоящих времени. Вывод будет неожиданным: в русском языке их тоже два. Представим, что вы сидите вечером на диване и говорите:

1) По утрам я делаю зарядку. И второй вариант — утром раздается телефонный звонок: «Что ты сейчас делаешь?» Вы отвечаете: 2) «Я делаю зарядку.»

Одна и та же фраза описывает две разные ситуации. Второй вариант — это истинное настоящее время: вы говорите о том, что происходит в данный момент. В первом случае о настоящем моменте не говорится вовсе; речь идет о привычном, повторяющемся действии. Итак, русский язык одним способом описывает две разные ситуации; для полного понимания такого предложения надо либо знать контекст, либо ставить дополнительные слова (по утрам, сейчас). Английский язык пошел другим путем: он создал два различных времени. Первое — *Indefinite Tense* — для описания действия как такового, которое совершается обычно, регулярно. Второе — *Continuous Tense* — для описания «сиюминутного» действия, которое происходит в отмечаемый момент. Очень важно понимать, что это не одно время, а группа времен. Если действие относится к настоящему , вы используете *Present Continuous*, к прошлому — *Past Continuous* и т.д. Времена группы *Continuous* строятся с помощью вспомогательного глагола **to be**, а смысловой глагол выступает в **-ing**-форме, которая как раз и показывает, что действие продолжается, длится, развивается (сравните с русскими словами «ищущий», «играющий»). Для того чтобы подчеркнуть «единую природу» всех времен этой группы и свести к минимуму проблемы запоминания, мы введем необычную форму записи — «общую формулу» времен данной группы:

Continuous = to be + (verb) -ing.

Эта запись должна вам напомнить, что глагол **to be** принимает конкретные формы, согласуясь с хронологическим временем (а в настоящем — меняясь еще и по лицам — **am, is, are**). Смысловой глагол, приняв **-ing**-форму, более уже ни при каких обстоятельствах не меняется (мы об этом говорили в материале о вспомогательных глаголах).

А теперь, приводя примеры, попробуем сопоставить два настоящих времени по-русски и по-английски.

He works as a teacher. — Он работает учителем.

Don't call him, he is working. — Не звони ему, он работает (в данный момент).

He reads a lot. — Он много читает (вообще).

He is reading his play to us. — Он читает нам свою пьесу (сейчас).

Water boils at 212° Fahrenheit. — Вода кипит при 212 °Ф (всегда).

The kettle is boiling. — Чайник кипит (сейчас).

2. Особенности употребления *Continuous Tense*

Обычно при изучении нового времени принято разбирать отдельно построение вопросов и отрицаний, но мы эту проблему уже рассматривали в общем виде: все дополнительные сложности принимает на себя вспомогательный глагол (**to be**), а смысловой глагол на них не реагирует:

She is sleeping now. Is she sleeping? She is not sleeping. — Она сейчас спит. Она спит? Она не спит.

А теперь несколько дополнительных замечаний к этой теме. Существует ряд глаголов (их иногда называют статическими), которые «не подходят» для категории *Continuous* (например, **like, want, hear, see, know, understand, think**).

Mostly these are verbs of perception and judgment. — Большей частью это глаголы, выражающие восприятие или суждения.

Их немного, но встречаются они часто. Очень интересно, что когда эти глаголы выходят за пределы только что названных «психологических» значений, запрет на употребление продолженного времени снимается. Сравните:

You look tired. — She is looking at you. — Ты выглядишь усталым. — Она смотрит на тебя.

I see the picture. — The doctor is seeing a patient now. — Я вижу картину. — Доктор принимает пациента.

We hear the music. — The judge is hearing a case. — Мы слышим музыку. — Судья слушает дело.

I think this is wrong. — Wait a minute, I'm thinking. — Я думаю, что это неверно. — Подождите минуту, я думаю (размышляю).

Учтите, что даже глаголы, которые никогда не используются в *Continuous*, имеют **-ing**-форму, например, в качестве причастия.

Knowing her, I do not tell her about it. — Зная ее, я не говорю ей об этом.

Время *Present Indefinite* часто сопровождается наречиями и оборотами типа: **always, often, usually, sometimes, every day**; для *Present Continuous* подходят **now, at the moment, at present**, и т.д. Но вот любопытная деталь — слово **always** в сочетании со временем *Continuous* имеет особое значение: действие часто повторяется и вызывает некоторое недовольство говорящего:

She is always complaining about something. — Вечно она на что-нибудь жалуется.

И, наконец, последний штрих. Теперь вы должны чувствовать разницу между двумя важными конструкциями:

What do you do? — What are you doing? — Что вы делаете (когда идет дождь)? — Что вы делаете? (скажем, вы увидели, что кто-то рвет вашу книгу).

Еще раз подчеркнем очень важную мысль: времена в английской грамматике существуют не по отдельности, а группами, как, например, группа продолженных времен (*Progressive Aspect*). В каждой группе есть как бы три этажа (прошедший, настоящий и будущий), но основная грамматическая конструкция остается одинаковой: **he was working**; **he is working**; **he will be working**. При построении фразы говорящий сначала по смыслу определяет, какая группа времен выражает его мысль, а потом уже строит предложение, согласуя его, скажем, с прошедшим моментом.

Всего таких групп времен четыре: *Indefinite*, *Continuous*, *Perfect* и *Perfect Continuous* и каждая имеет свою область употребления, так сказать, свою идею, которую надо понять и усвоить. В повседневной речи две последние из них встречаются не так уж часто, но зато первые две — совершенно необходимы.

3. Предлоги места

Четких правил, указывающих, какие где надо ставить предлоги, не существует. Есть только сложившееся употребление (**usage**). Своей формы эти короткие словечки никогда не меняют. Но что-то легче от этого не становится. Даже люди, уже неплохо знающие язык, сплошь и рядом используют предлоги неправильно. Так что мы попробуем поискать какие-то закономерности употребления английских предлогов.

а) Предлоги **in**, **on**, **at** описывают положение в пространстве:

IN — в трехмерном восприятии (объем):

> **in the box**; **in the garden**; **in the kitchen** — в коробке; в саду; на кухне.

ON — в двухмерном (плоскость):

> **The cat is lying on the table.** — Кошка лежит на столе;
> **a number on the door** — номер на двери;
> **dirt on your shirt** — грязь у вас на рубашке;
> **on the second floor** — на втором этаже.

ON — в одномерном (линия):

> **a town on the Mississippi River** — город на реке Миссисипи;
> **a village on the border** — деревня на границе.

AT — положение в точке:

> **He is standing at my door.** — Он стоит у дверей;
> **She is sitting at my desk.** — Она сидит за моим столом;

The car is at the crossroads. — Машина — на перекрестке.

Обратите внимание, важно, как говорящий воспринимает это место, интересуется ли, «что внутри»:

We meet at the theater. — Встречаемся в театре (место встречи).

There are 200 seats in the theater. — В театре 200 мест.

б) Предлоги перед географическими названиями:

IN перед названиями континентов — **in Europe**;

перед названиями стран — **in Spain**;

перед названиями штатов — **in Florida**;

перед названиями городов — **in London**.

ON перед названиями улиц — **on Broadway**, **on Fifth Avenue**, **on 44th Street**.

AT перед номерами домов, адресами:

at 45 Lake Road — в доме 45 по Озерной улице;

at my new address — по моему новому адресу.

Несколько примеров необычного для нас употребления предлогов:

at home, at work, at school (все без артикля) — дома, на работе, в школе;

at the station, at the airport — на вокзале, в аэропорту;

at the seaside — у моря;

at the top — на вершине, наверху;

at Bob's house — у Боба в доме.

4. Предлоги времени

Разные интервалы времени требуют разных предлогов.

Часы (**hours**) — **AT**:

at 6 o'clock — в 6 часов;

at 7:30 — в 7:30.

Дни (**days**) — **ON**:

on Tuesday — во вторник;

on November, 1st — 1 ноября.

Месяцы, времена года, года, десятилетия, века (**months, seasons, years, decades, centuries**) — **IN**:

in May — в мае;

in summer — летом;

in 1976 — в 1976 году;

in the 60s — в 60-е годы;

in the 20th century — в XX веке.

Когда речь идет о времени, русский предлог «через» переводится как **in**:

In two hours you must be at home. — Через 2 часа вы должны быть дома.

by 6 o'clock — к 6 часам.

Фразы типа «на этой неделе», «в прошлом году» в английском не требуют предлога:

last week — на прошлой неделе;

this month — в этом месяце;

next year — в следующем году.

He left school last year. — Он бросил школу в прошлом году.

I'll see him next Tuesday. — Я увижу его в следующий вторник.

Не требует предлога еще один оборот:

two times a day — два раза в день;

three times a year — три раза в год.

I go to school 5 times a week. — Я хожу в школу 5 раз в неделю.

Обратите внимание на два оттенка русского слова «вовремя»:

on time — точно по плану, расписанию.

The train arrives on time. — Поезд прибывает вовремя.

in time — не слишком поздно; так, чтобы успеть.

You must be there in time for dinner. — Вам надо быть там вовремя, к обеду.

Теперь опять примеры:

at any time — в любое время;

at the moment — в данный момент;

at lunch — на ланче;

in the morning, in the evening — утром, вечером;

Однако:

on Sunday morning — воскресным утром;

at night — ночью.

Обратите внимание, насколько труден для нас предлог **at** — в английском он один из самых употребительных, а в русском ему просто нет соответствия. Отмечайте все случаи, когда он вам встречается, к нему обязательно надо привыкнуть.

Section 1

Arranging to go out (to eat out) / Планируем поход в ресторан

Words

a table for two	столик на двоих
a party of four	группа из четырех человек

non-smoking section	зал для некурящих
directions	указания, как доехать
brunch (breakfast+lunch)	бранч, «завтрак-ланч» (завтрак поздним утром)
a wait	ожидание
business lunch	деловой ланч
French cuisine	французская кухня
Italian food	итальянская еда
Valet parking	Машину паркует привратник
booth	отгороженный столик, «кабинка»
a table by a window	столик у окна

Expressions

You need to make a reservation.	Вам нужно зарезервировать (заказать) столик.
I'd like to reserve a table for a party of four.	Я хочу заказать стол на четверых.
We'd like to sit in the non-smoking section.	Мы хотели бы сидеть в зале для некурящих.
Would you like to have brunch tomorrow?	Хотите пойти завтра на бранч?
to have a nice meal	хорошо поесть
I prefer French cuisine.	Я предпочитаю французскую кухню.
I don't like Italian food.	Я не люблю итальянскую еду.
Where can we have a nice meal around here?	Где здесь можно хорошо поесть?
Is there parking available?	Есть ли там/здесь парковка?
I need directions to the restaurant.	Мне нужно, чтобы мне объяснили, как проехать к ресторану.
Do you have reservations?	У вас зарезервирован столик?
There is a 20-minute wait for a table.	Вам придется подождать свободный столик 20 минут.
Can we sit in a booth?	Можем ли мы сидеть за отгороженным столиком (в кабинке)?
We can seat you in 15 minutes.	Мы сможем усадить вас за столик через 15 минут.

Dialogue

Arranging to go out

— Would you like to go out to eat tonight?
— Sounds great, but only if I am buying.
— No, let's go Dutch, at least.

— Where can we go to have a really nice meal around here?

— There is a very good Italian restaurant only a few blocks away.

— I'll call for reservations and then we can walk there — it's not too far and the weather is lovely.

— Hello, my name is John Smith and I have reserved a table for two for eight o'clock.

— Your table is right next to the window and your waiter will be with you shortly.

Планируем поход в ресторан

— Хочешь, пойдем сегодня вечером в ресторан?

— Отличная идея, но только если я угощаю.

— Нет, давай хотя бы заплатим поровну.

— Где здесь можно хорошо поесть?

— Есть очень хороший итальянский ресторан всего в нескольких кварталах отсюда.

— Я позвоню и закажу столик, а потом мы можем пройтись до него пешком — это не слишком далеко и погода чудесная.

— Здравствуйте, меня зовут Джон Смит, и у меня зарезервирован столик на двоих на восемь вечера.

— Ваш столик у самого окна, а ваш официант подойдет через минуту.

Section 2

Making a choice / Выбор

Words

waiter/waitress	официант/официантка
to wait on tables	прислуживать за столом; работать официантом
appetizers	закуски
entrees	главные блюда (горячее)
wine list	карта вин
soda = carbonated beverage	газированный напиток (пепси, кока-кола и пр.)
club soda/mineral water	минеральная вода
bowl of soup	тарелка супа
deep-fried	приготовленный в кипящем масле; как правило, обвалянный в муке и хлебных крошках

double-decker sandwich	двойной бутерброд
house specialty	фирменное блюдо
a sub (submarine sandwich)	небольшой батон, разрезанный пополам и намазанный майонезом, с колбасой, ветчиной, сыром, салатом и т.д.
specials	блюда дня
pitcher of beer	кувшин пива
carafe of wine	графин вина
house wine	вино, покупаемое рестораном оптом, т.е. самое дешевое в меню
beer on tap = beer on draft	разливное пиво
soup of the day	супчик дня
pizza with different toppings	пицца с различными ингредиентами
thin-crust pizza	пицца с тонкой корочкой
spicy dish = hot dish	острое блюдо
salad dressing	заправка (соус) для салата
side dishes	гарнир
barbequed dish	блюдо, приготовленное на гриле, с пряным томатным соусом
seafood	морепродукты (креветки, омары, рыба и т.д.)
platter (vegetarian, seafood, etc.)	блюдо, на которое положено всего понемножку
pasta	паста (макаронные изделия и блюда из них)

Expressions

Hi, my name is Gina and I'll be your waiter today.	Здравствуйте, меня зовут Джина, я — ваша официантка.
Would you like anything to drink?	Что вы будете пить?
What are your specials today?	Какие у вас сегодня блюда дня?
Is the chicken very spicy?	Этот цыпленок очень острый?
What is your house wine?	Какое (разливное) вино вы подаете?
I'd like to see the wine list.	Я бы хотел взглянуть на карту вин.
Could we move to a different table?	Можно нам пересесть за другой столик?
Do you have low-calorie salad dressing?	У вас есть низкокалорийная заправка для салата?
Do you serve fresh-brewed tea?	Вы подаете свежезаваренный чай?

shellfish	съедобные моллюски и ракообразные, имеющие раковину или панцирь (устрицы, крабы, креветки и пр.)
(any alcoholic drink) with a twist of lemon	(любое спиртное) с кусочком/ломтиком лимона

Dialogue

Making a choice

— What do you recommend for an appetizer?

— The seafood platter is very good and our salad bar is very fresh.

— When do you stop serving food here?

— The kitchen closes at 11 p.m., so you have plenty of time.

— Do you serve fresh-brewed tea or only teabags?

— I am sorry, we only have teabags, but there are many different kinds.

— What does this dish come with?

— All our entrees are served with a cup of soup and two vegetables.

Выбор

— Что бы вы посоветовали в качестве закуски?

— Морепродукты очень вкусные, и в салат-баре все очень свежее.

— До которого часа у вас подают еду?

— Кухня закрывается в 23:00, так что времени у вас более чем достаточно.

— У вас чай заварной или в пакетиках?

— К сожалению, чай у нас только в пакетиках, но зато самых разных сортов.

— Что подается к этому блюду?

— Все наши горячие блюда подаются с супом и двумя овощными гарнирами.

Section 3

Ordering / Заказ

Words

on the rocks	со льдом (алкогольный напиток)
on the side	в отдельной посуде
well-done	хорошо прожаренный
medium-well	средне прожаренный

medium-rare	слабо прожаренный
rare	с кровью
decaffeinated coffee/tea	кофе/чай без кофеина
regular coffee	обычный кофе
main course	второе
side order	добавочный гарнир
extra	сверх, особо, экстра
fresh-ground pepper	свежемолотый перец
separate checks	отдельные счета
iced tea	чай со льдом

Expressions

Can I take your order?	Я могу принять заказ?
I would like a Scotch on the rocks.	Виски со льдом, пожалуйста.
We would like to share one salad.	Мы бы хотели взять один салат на двоих.
I'd like my salad dressing on the side.	Дайте мне заправку (соус) для салата отдельно.
How would you like your steak?	Как бы вы хотели, чтобы был приготовлен ваш бифштекс?
I want my steak medium-rare.	Я хочу слабо прожаренный бифштекс.
It's not on the menu.	Этого нет в меню.
And for my main course I'd like chicken, extra spicy.	А на второе дайте мне цыпленка, и пусть его сделают очень острым.
Is this all together?	Это все вместе?
We would like separate checks, please.	Приготовьте нам отдельные счета, пожалуйста.
Put it all on one check.	Запишите все на один счет.
Some decaffeinated coffee for you, as well?	Вам тоже кофе без кофеина?
No, I would like some regular coffee.	Нет, я хочу обычный кофе.
Can I have a side order of fries, please?	Можно мне добавочную порцию жареного картофеля?
Can you get our waitress for us?	Вы не могли бы позвать нашу официантку?
I would like some hot tea with lemon, please.	Дайте мне горячего чая с лимоном, пожалуйста.
I could eat a horse. = I'm starving.	Я умираю с голоду.

Dialogue

Ordering

- Can I take your order or do you need a few more minutes?
- I would like a cup of chicken noodle soup, a house salad with vinegar and oil, and a steak with green beans.
- Very good, and how would you like your steak?
- Well-done, please. Oh, and may I have a side order of French fries as well?
- Certainly. Would you like another beer while you are waiting for your food?
- No thanks, I am OK. for now.

Заказ

- Могу я принять заказ или вам нужно еще немного времени?
- Я бы хотел чашку куриного супа с вермишелью, маленькую порцию салата с уксусом и растительным маслом и бифштекс с зеленой фасолью.
- Очень хорошо; а как вам приготовить бифштекс?
- Хорошо прожаренный, пожалуйста. Да, и можно мне добавочную порцию жареной картошки?
- Конечно. Не хотите ли еще пива, пока ждете обеда?
- Нет, спасибо, пока не надо.

Section 4

During and after the meal / Во время и после еды

Words

dessert	десерт
dessert tray (cart)	поднос (тележка) с разными десертами на выбор
picking up the tab	оплатить весь счет
bill/check	счет
personal check	именной чек
credit card	кредитная карточка, кредитка
tip	чаевые
on the house	за счет ресторана
on me	я плачу
leftovers	остатки еды
doggie bag	контейнер/пакет с остатками

a la carte — порционное блюдо (в отличие от комплексного заказа)

I enjoy fine dining. — Я люблю обедать в хороших ресторанах.

to split the check — разделить (разбить) счет

Breakfast any time — завтрак в любое время

buffet = smorgasbord — шведский стол

salad bar — «шведский стол» салатов, салат-бар

apple pie a la mode — яблочный пирог с мороженым

Chicken sandwich, hold the mayo. — Бутерброд с курицей, без майонеза.

eggs sunny side up — яичница-глазунья

home fries — вареная картошка, мелко нарезанная и обжаренная

milkshake — молочный коктейль с мороженым

Thank you, I've had enough. — Спасибо, я больше не хочу.

I am stuffed. — Я наелся до отвала.

to wrap up the leftovers — завернуть остатки с собой

He eats like a pig. — Он жрет как свинья (много и неряшливо).

He drinks like a fish. — Он сильно выпивает.

to toy with one's food — копаться в тарелке

Let's go Dutch. — Разделим счет пополам. Заплатим поровну.

My eyes were bigger than my stomach. — Я, кажется, пожадничал.

Expressions

What do you have for dessert? — Что у вас есть на десерт?

Would you like to see the dessert tray? — Хотите взглянуть на поднос с десертами?

I'll pick up the tab this time. — Сегодня я плачу.

We are ready for the check (bill). — Принесите, пожалуйста, счет./ Счет, пожалуйста.

Do you accept personal checks? — Вы принимаете именные чеки?

Which credit cards do you accept? — Какие кредитки вы принимаете?

A good tip is 15% of the total bill. — Хорошие чаевые — это 15% от суммы счета.

This drink is on the house. — Примите этот напиток за счет ресторана.

This drink is on me.	Эта выпивка за мой счет.
Could you wrap up the leftovers for us?	Заверните нам, пожалуйста, остатки с собой.
May we have a doggie bag, please?	Заверните нам, пожалуйста, остатки с собой.
Let's split the check between the four of us.	Давайте разделим счет на четверых.

Dialogue

During and after the meal

— Here is your grilled chicken and your filet mignon. Can I get you anything else?

— Yes, could we have some extra bread, please?

— Certainly, here you go. Enjoy your meal.

— Excuse me, could you get our waiter for us, please? My green beans are cold.

— I am terribly sorry – I'll bring you a fresh order of green beans right away.

— Here you go, and, again, I am very sorry about the beans. Your coffee and pie are on the house.

— We are splitting the bill, so could you put it on two credit cards?

— No problem. Have a nice evening and please come again.

Во время и после еды

— Вот ваш салат с курицей и филе-миньон. Принести Вам что-нибудь еще?

— Да, еще хлеба, пожалуйста.

— Конечно. Приятного аппетита.

— Простите, вы не могли бы позвать нашего официанта? Эти бобы холодные.

— Извините, ради бога, я сейчас же принесу вам свежую порцию.

— Прошу вас; и еще раз приношу свои извинения. Пожалуйста, примите кофе и пирог за счет ресторана.

— Мы платим пополам, так что не могли бы вы разбить оплату на две кредитки?

— Конечно, пожалуйста. Доброй вам ночи, приходите еще.

Exercises

Упражнение 1
Вставьте пропущенный глагол.

A. You need to ___ a reservation.
   (*do, own, make, show*)

B. Could we ___ to a different table?
   (*walk, move, have, remove*)

C. I ___ Italian food.
   (*go, find, prefer, put*)

D. Do you ___ credit cards?
   (*do, make, show, accept*)

E. Could you ___ me some hot tea?
   (*show, drink, bring, sell*)

Упражнение 2
Вставьте пропущенное слово.

A. How would you like your ___ cooked?
   (*salad, tea, steak, drink*)

B. We would like to sit in the non-smoking ___.
   (*room, restaurant, section, hall*)

C. The dessert is served at the end of the ___.
   (*meal, food, steak, trip*)

D. May I have a ___ order of green beans?
   (*well-done, back, side, French*)

E. We would like ___ checks for the two of us.
   (*good, together, extra, separate*)

Упражнение 3
Вставьте пропущенный предлог.

A. Can we sit ___ that table?
   (*by, on, at, with*)

B. Your food will be ready ___ 15 minutes.
   (*at, in, over, by*)

C. Can you get our waiter ___ us?
   (*to, with, for, at*)

E. Is everything you serve ___ the menu?
   (*on, in, at, with*)

F. I am ready ___ the check.
   (*for, with, over, from*)

Упражнение 4
Выберите нужное слово в каждом предложении.

A. We are ___ out to eat tonight.
   (*going, jumping, walking, running*)

B. He is ___ for joy.
   (*going, jumping, walking, running*)

C. We are ___ to the country for the holidays.
   (*going, jumping, walking, running*)

D. I am ___ to the theater since it's not far.
   (*going, jumping, walking, running*)

E. I don't know how I'll get home because the buses aren't ___.
   (*going, jumping, walking, running*)

Упражнение 5
Сделайте это предложение вопросительным.

A. You like eating out.

___

B. You can drink a lot of beer.

___

C. The chicken is spicy.

___

D. You always pay the bill.

___

E. They prefer walking.

___

Упражнение 6

Сделайте это предложение отрицательным.
Употребите краткую отрицательную форму глагола.

A. I like spicy food.

_____

B. I can eat a lot.

_____

C. I am going home.

_____

D. You have to eat this.

_____

E. He is glad to be here.

_____

Упражнение 7

Сделайте это предложение вопросительным.

A. He enjoys Chinese food.

_____

B. They could go to a different place.

_____

C. It was too late to go.

_____

D. She had a good time.

_____

E. They were very tired.

_____

Упражнение 8

Сделайте это предложение отрицательным.
Употребите краткую отрицательную форму глагола.

A. He has a big appetite.

_____

B. I was very comfortable.

_____

C. You should drink this quickly.

_____

D. She went to her favorite cafe.

_____

E. They were happy there.

_____

Phonetics

Буква A после W

Буква **A** после **W** читается как **O** [ɔ :].

walk [wɔ:k]

wall [wɔ: l]

wallet [ˈwɔ:l ɪt]

walnut [ˈwɔ:lnt]

wand [wɔ:nd]

wander [ˈwɔ:ndər]

want [wɔ:nt]

wanton [ˈwɔ:ntən]

wash [wɔ:ʃ]

wasp [wɔ:sp]

watch [wɔ:tʃ]

water [ˈwɔ:tər]

watt [wɔ: t]

watchdog [ˈwɔ:tʃdɑ: g]

watchtower [ˈwɔ:tʃˌtaʊər]

swan [swɔ:n]

swallow [ˈswɔ:ləʊ]

swamp [swɔ :mp]

swap [swɔ:p]

swat [swɔ : t]

Let's Practice

Переведите с русского на английский. Потом сверьте свой вариант с ответом на обороте страницы.

Arranging to go to a restaurant / Планируем поход в ресторан

1. В какой ресторан вы хотите пойти?

2. Нам нужно заказать столик?

3. Как долго нам придется ждать столик?

4. Столик будет готов через несколько минут.

Making a choice / Выбор

5. Этого блюда нет в меню.

6. Скажите еще раз, какие у вас сегодня блюда дня.

7. Хочешь, возьмем какую-нибудь одну закуску на двоих?

8. Это блюдо очень острое?

Ordering / Заказ

9. Вы хотели бы сначала что-нибудь выпить?

10. Дайте мне двойную порцию шотландского виски со льдом.

11. Можно нам еще хлеба?

12. Мне нужно еще несколько минут, чтобы сделать выбор.

During and after the meal / Во время и после еды

13. Могу ли я что-нибудь еще для вас сделать?

14. Что бы вы хотели на десерт?

15. Можно мне счет?

16. Принесите счет мне — я угощаю.

Проверьте себя

Arranging to go to a restaurant / Планируем поход в ресторан

1. What kind of restaurant do you want to go to?
2. Do we need to make a reservation?
3. How long do we have to wait for a table?
4. We'll have a table ready in a few minutes.

Making a choice / Выбор

5. This dish is not on the menu.
6. Tell us again what your specials of the day are.
7. Do you want to share an appetizer?
8. Is this dish very spicy?

Ordering / Заказ

9. Would you like something to drink first?
10. I'd like a double Scotch on the rocks.
11. Could we have extra bread, please?
12. I need a few more minutes to make a choice.

During and after the meal / Во время и после еды

13. Is there anything else I can do for you?
14. What would you like for dessert?
15. Could I have the bill?
16. Give the bill to me — it's my treat.

Stay Well!
Будьте здоровы!

Let's Study

1. Простое прошедшее время

Мы уже говорили о том, насколько важно понимание форм английского глагола. Давайте рассмотрим еще один аспект этой темы. Как мы уже говорили, английские глаголы делятся на две неравные группы — правильные (т.е. подчиняющиеся определенному правилу) и неправильные. Правило, о котором идет речь, описывает образование II-ой и III-ей формы:

II-я ф. = III-я ф. = I-я ф. + -ed.

II-ая форма существует в английском языке специально для построения времени *Past Indefinite*:

When I was young I played basketball. — В молодости я играл в баскетбол.

Время *Past Indefinite* у изучающих язык обычно ассоциируется с чисто «технической" проблемой: как заучить все неправильные глаголы? Ну что ж, давайте порассуждаем. Во-первых, надо представить объем предстоящей работы — в английском языке около 250 неправильных глаголов. Обойтись без них невозможно — не забывайте, что самые важные слова имеют тенденцию попадать в исключения. Однако, большая часть из них встречается нечасто, так что на начальном этапе вам придется запоминать II-ую и III-ю формы «всего» для 50—70 глаголов.

Похоже на противоречие, не правда ли? Если самые важные, почему редко встречаются? Для того, чтобы найти разгадку, надо учесть неожиданный фактор — время, причем не грамматическое, а самое что ни на есть жизненное. Дело в том, что современный язык формировался сотни лет назад и многие слова, бывшие тогда в числе самых важных, ныне свою значимость утеряли (например, глаголы, связанные с трудовой деятельностью — жать, прясть и т.д.). Многие такие слова перешли, в основном, в поэтическую, возвышенную лексику.

И еще. Мы уже говорили о делении глаголов на сильные и слабые; такая классификация глаголов более глубока и относится к самым основам английской грамматики. Сильных глаголов всего 10 и все они, естественно, неправильные с точки зрения образования грамматических форм. Тем, кто только начинает изучение языка, лучше составить собственной рукой табличку форм основных сильных глаголов (**to be, can, may, must, shall, will**).

Еще раз обратите внимание: все неправильные глаголы (если оставить в стороне «устаревшие» слова) являются важными, но не все важные глаголы — неправильные (примерно половина). Выбор достаточно случаен, для примера взглянем на пары одинаково употребимых глаголов — один из них правильный, а второй нет: **look** (смотреть) — **see** (видеть) ; **listen** (слушать) — **hear** (слышать)

И еще небольшое грамматическое напоминание — как избежать стандартных ошибок (попробуем «подстелить соломку»). Вы знаете, что II-ая форма глагола нужна для построения простого прошедшего времени (*Past Indefinite*):

    He bought a new jacket. — Он купил новую куртку.

Однако в вопросах и отрицаниях появляется вспомогательный глагол **to do** (во II-ой форме), а смысловой глагол возвращается к основной форме:

    Did he buy a new jacket? — Он купил новую куртку?

В реальной речи все время приходится «переключаться» от одной формы глагола к другой; это непростой навык — он требует внимания и определенной тренировки:

    I saw David at school. — I didn't see him. — Я видел Давида в школе. — Я не видел его.

    They called me last night. — Did they call you? — Они звонили мне вчера вечером. — Они звонили вам?

2. Как запомнить неправильные глаголы

Как же проще всего выучить нужные вам неправильные глаголы? В учебниках приводятся их алфавитные списки (полные или «усеченные»). Это удобно для справочных целей, но для запоминания — вы уже, наверно, убедились — почти безнадежно. Можно порекомендовать другую систему подбора — по сходству звучания. Оказывается, английские неправильные глаголы можно разбить на несколько характерных групп (далее приводятся лишь простейшие примеры, при желании вы сможете их дополнить сами; в скобках указаны II-ая и III-я формы глагола).

<u>1 группа</u> – короткие односложные глаголы, у которых все три формы совпадают:

cut (cut, cut) – резать;
put (put, put) – класть;
let (let, let) – позволять;
shut (shut, shut) – закрывать;
cost (cost, cost) – стоить;
hit (hit, hit) – ударять;

Глагол **read (read, read)** имеет одну особенность: его II-ая и III-я формы произносятся как слово **red**.

<u>2 группа:</u>

send (sent, sent) – посылать;
lend (lent, lent) – одалживать;
bend (bent, bent) – сгибать;
spend (spent, spent) – тратить;

<u>3 группа:</u>

know (knew, known) – знать;
grow (grew, grown) – расти;
blow (blew, blown) – дуть;
throw (threw, thrown) – бросать;

<u>4 группа:</u>

lead (led, led) – вести;
feed (fed, fed) – кормить;
bleed (bled, bled) – кровоточить;

<u>5 группа:</u>

sing (sang, sung) – петь;
ring (rang, rung) – звонить;
drink (drank, drunk) – пить;
swim (swam, swum) – плавать;
begin (began, begun) – начинать;

<u>6 группа:</u>

feel (felt, felt) – чувствовать;
sleep (slept, slept) – спать;
keep (kept, kept) – хранить; держать
weep (wept, wept) – плакать;
sweep (swept, swept) – подметать.

<u>7 группа:</u>

bear (bore, born) – терпеть; рождать;

tear (tore, torn) — рвать;
wear (wore, worn) — носить (одежду);
swear (swore, sworn) — клясться; ругаться.

<u>8 группа:</u>

В этой группе глаголы лишь немного отошли от общего правила в написании, а глагол say еще и в произношении, будьте внимательны:

lay (laid, laid) — класть;
pay (paid, paid) — платить;
say (said, said) — сказать;

<u>9 группа:</u>

И, наконец, группа совсем непохожих между собой глаголов, их II-ая и III-я формы очень непривычны для нас. Отметьте, здесь есть два варианта написания, но последние 5 букв всегда читаются одинаково: bought (как «бо-от»), caught (как «ко-от»):

bring (brought, brought) — приносить;
think (thought, thought) — думать;
fight (fought, fought) — бороться;
buy (bought, bought) — покупать;
catch (caught, caught) — ловить;
teach (taught, taught) — учить.

Будет хорошо, если для себя вы сами составите еще одну группу из глаголов, которые образуют II-ую и III-ю формы совсем своеобразным способом; в нее попадает десятка полтора самых важных слов (таких, как **do, go, run, see** и т.д.). Но этот список будет уже не столь устрашающе длинным. Попробуйте сами найти общее в построении II-ой и III-ей форм у изучаемых вами глаголов. Обратите внимание, что обычно все три формы строятся от одной основы (т.е. первая буква у них совпадает). Есть два заметных исключения: **to be (is — was — been)** и **to go (go — went — gone)**. Но и в русском: «есть» — «был», «иду» — «шел», не удивительно ли это?

3. Не болейте!

Давайте поговорим о том, как мы описываем свое самочувствие. Группа слов «боль, болеть, болезнь» весьма непросто переводится на английский язык. Тема важная; неудивительно, если кто-то скажет, что это «больной вопрос». Сейчас мы распутаем этот клубок, а данную идиому переведем в конце.

Все знают, что фраза «Он болен.» имеет два перевода:

He is sick. — не слишком тяжелое состояние, обычно имеющее внешнюю причину (напр., простуда);

He is (seriously) ill. – более серьезное заболевание.

Для точности сделаем здесь три дополнения:

1) Прилагательное **sick** (в отличие от **ill**) может стоять перед существительным (**He is a sick child.**) и поэтому закрепилось в ряде употребительных выражений:

> **sick days** – дни, которые можно брать по болезни на работе;
>
> **sick leave** – более продолжительный отпуск по болезни, больничный, бюллетень;
>
> **I'm calling sick!** – Я звоню предупредить, что заболел. (стандартная фраза)

2) У **sick** есть второе значение – «чувствующий тошноту», от которого идет переносное значение «надоедающий, раздражающий» и ряд важных идиом:

> **I'm sick and tired of doing this work.** – Мне до смерти надоело делать эту работу.
>
> **I'm sick to my stomach to hear all that.** – С души воротит все это слушать.
>
> **People like him make me sick!** – Не выношу таких людей как он!

3) Противоположное понятие «здоровый» выражено двумя словами **healthy, well**; первое из них имеет самый общий смысл, а второе отражает как бы норму, обычный уровень здоровья или возвращение к нему:

> **How does she feel? – She is well. (She is sick again).** – Как она себя чувствует? – Она здорова. (Она снова заболела.)
>
> **Get well!** – Выздоравливайте!
>
> **Stay well!** – Будьте здоровы!

Существительному «болезнь» соответствует еще больше английских слов:

> **A sickness that kept him in bed for three days.** – Недомогание, которое продержало его в постели три дня.
>
> **This is an illness that can't be treated.** – Это неизлечимая болезнь.

Слово **disease** обозначает конкретную, определенную болезнь:

> **heart disease** – болезнь сердца;
>
> **Parkinson's disease** – болезнь Паркинсона;
>
> **Malaria is a tropical disease.** – Малярия – тропическая болезнь.
>
> **disorder** – слово с более узким значением, отражающее нарушение баланса в организме, расстройство:
>
> **hormonal disorder** – гормональное нарушение;
>
> **mental disorder** – психическое расстройство.

В отличие от русских, английские слова «боль» и «болезнь» не связаны между собой.

pain — самое общее, широкое понятие

acute or sharp pain — острая боль

Родственные слова: **painful** — болезненный; **painless** — безболезненный; **painkiller** — болеутоляющее средство.

Don't worry — this operation is a brief, painless procedure. — Не волнуйтесь, эта операция — короткая, безболезненная процедура.

ache [eik] — описывает боль продолжительную и относящуюся к определенному органу. Оно часто употребляется в стандартных словосочетаниях:

I have a headache (toothache, stomachache). — У меня болит голова (зуб, живот).

4. Что у вас болит?

Пока что все было не сложно, но когда мы доходим до слова «болит», дело вдруг осложняется. Давайте разбираться. Во-первых, русский глагол «болеть» сам по себе необычен — у него две разные формы («болит» и «болеет»). Вторую из них мы уже обсудили:

Он часто болеет. — **He is frequently sick (ill). или He gets sick (ill) easily.**

Он болен гриппом. — **He is sick with the flu.**

Однако слово **ill** с этим предлогом как-то не стыкуется, поэтому:

Он болен диабетом. — **He has diabetes.**

А теперь про ощущение боли:

а) Слово **pain** в глагольной форме встречается нечасто, при этом его значение меняется, и для нас важнее его сочетание с предлогом:

to be in pain — испытывать боль;

She was in horrible pain. — Ей было ужасно больно.

If you are in pain, call the nurse. — Если будет больно, позовите медсестру.

b) Слово **to ache** в качестве глагола может употребляться и в переносном значении:

My knee aches. — У меня болит колено (достаточно продолжительно, не случайно).

My heart is aching for her. — У меня душа болит за нее.

Вот забавная реклама какой-то особенной кровати (обыгрывается легко узнаваемое **is looking for** — ищет):

It's the bed your back is aching for. — Это кровать, по которой «болит» ваша спина.

c) И тут неожиданно для нас «на сцене появляется новое действу-ющее лицо» – слово **to hurt (hurt, hurt)**. Этот глагол настолько ва-жен и непривычен, что с ним следует разобраться всерьез. У него 5 основных значений и все они необходимы:

1) пострадать, получить телесные повреждения:

He was seriously hurt in a car accident. – Он серьезно постра-дал в автомобильной аварии.

Yes, there was an accident, but luckily no one got hurt. – Да, бы-ла авария, но, к счастью, никто не пострадал.

2) ушибить, повредить физически:

Didn't you hurt yourself? – Вы не ушиблись?

I didn't want to hurt you. – Я не хотел сделать тебе больно.

I hurt my shoulder badly. – Я сильно ушиб плечо.

3) болеть:

Now my shoulder hurts. – Теперь плечо болит.

It hurts the eyes to look at the sun. – Если смотреть на солнце, глазам больно.

4) обидеть, повредить эмоционально:

She was hurt by his words. – Его слова обидели (задели) ее.

What hurts most is her betrayal. – Обиднее (больнее) всего ее предательство.

Nothing hurts like the truth. (Посл.) – Ничто не ранит так больно, как правда. (Правда глаза колет.)

5) повредить (в самом общем смысле); мешать:

It may hurt your husband's career. – Это может повредить карь-ере вашего мужа.

It won't hurt you to clean your room. – Тебе не мешало бы уб-рать свою комнату.

Вот как это слово определяет существительное, будучи III-ей фор-мой глагола:

hurt leg – ушибленная нога;

hurt pride – задетая гордость;

a hurt look on his face – обиженное выражение на его лице

5. Это «больной» вопрос

А теперь вернемся к нашей теме – тут есть одна тонкость, которая часто порождает ошибки. Помните тему о фиктивных подлежа-щих? Так вот, слово **hurt** в значении «болит» очень часто использу-ется в этой конструкции:

It hurts when I breathe. – Мне больно дышать. Слово **it** здесь ничего не означает, оно просто заполняет пустующее место.

Соответственно строятся и вопросы:

Does it hurt if I press here? — Больно, когда я нажимаю здесь?

Where does it hurt? — Где болит? (Так часто спрашивает врач).

Ouch, it hurts. Stop it! — Ой, больно. Перестань! (А это типичный детский возглас).

Есть еще одно английское прилагательное, которое необходимо здесь привести:

sore — описывает больную часть тела, нередко с элементом воспаления;

I have a sore throat. — У меня болит горло.

sore point — «больной вопрос», тема, которую лучше не затрагивать.

Don't mention marriage — it's a sore point with him. — Не упоминайте о женитьбе — для него это больной вопрос.

Нам осталось еще русское слово «лечить» — **to treat**:

Some skin diseases are difficult to treat. — Некоторые кожные болезни с трудом поддаются лечению.

Anthrax is treatable with antibiotics. — Сибирская язва лечится антибиотиками.

to undergo (a course of) treatment — проходить курс лечения

Есть еще два близких английских глагола **to cure** и **to heal** — излечивать; **to cure** обычно относится к болезням, а **to heal** — к ранам:

Penicillin cured him of pneumonia. — Он вылечил воспаление легких пенициллином.

The cut on his finger healed quickly. — Порез у него на пальце быстро зажил.

incurable disease — неизлечимая болезнь;

cure-all — панацея.

to heal также относится к народной медицине,

отсюда **healer** — «целитель».

Хочу упомянуть еще два момента:

1) Названия болезней, как правило, не имеют перед собой никакого артикля:

He died of malaria. — Он умер от малярии.

Самые заметные исключения — простуда и грипп: **a cold, the flu**.

2) Непривычное для нас употребление предлогов, что порождает стандартные ошибки. Один из таких случаев (лечить от, умереть от) я уже привел в примерах. Второй, еще более частый: лекарство от — **a medicine for**.

Дайте мне что-нибудь от головной боли. — **Give me something for a headache.**

И в заключение две очень важные и яркие идиомы, близкие к нашей теме:

pain in the neck − постоянный источник раздражения; «головная боль».

He can be a real pain in the neck, annoying everyone. − Он в печёнках у всех сидит (он всех раздражает).

to be under the weather − неважно себя чувствовать

I can't go skiing today, I'm a bit under the weather. − Я не могу сегодня кататься на лыжах, мне немного нездоровится.

И последнее замечание − забавная мелочь: «Мы болели за свою команду.» − это совсем другое выражение − **We rooted for our team.**

Section 1

Making an appointment / Запись на прием

Words

medical chart	история болезни
check-up = physical exam = = physical	медицинский осмотр
blood test	анализ крови
urinalysis	анализ мочи
doctor's referral	направление врача
primary physician	терапевт (основной врач, зарегистрирован в страховой компании и направляет пациента к специалистам)
family doctor	семейный врач
internist	терапевт
dermatologist	дерматолог
otolaryngologist	отоларинголог, лор
orthopedist	ортопед
pediatrician	педиатр

Expressions

to make/to schedule an appointment	записаться на прием
to cancel an appointment	отменить визит к врачу
to reschedule an appointment	перенести визит к врачу
to fill out a form	заполнить форму (медицинскую анкету)
to see patients	принимать пациентов

to see a cardiologist	пойти на прием к кардиологу
What hospital is the doctor affiliated with?	К какой больнице приписан этот врач?
What insurance do you have?	Какая у вас страховка?
Can you refer me to a cardiologist?	Вы можете дать мне направление к кардиологу?
Is the doctor seeing patients today?	Врач сегодня принимает?
Can you schedule me for an X-ray?	Вы не могли бы записать меня на рентген?

Dialogue

Making an appointment

— Hello, I'd like to make an appointment with Doctor Jones.

— Have you been to this office before or is this your first visit?

— This is my first visit. Do you accept new patients?

— Yes, we do. What insurance do you have?

— Do you accept Oxford insurance?

— Sure. Would you prefer morning or afternoon for your appointment?

— Morning will be fine. Does the doctor see patients on a Saturday?

— Yes. Your appointment will be at 10 a.m. on Saturday, but please come a little earlier, so you can fill out the necessary forms.

Запись на прием

— Здравствуйте, я хотел бы записаться на прием к доктору Джонсу.

— Вы когда-нибудь были у нас раньше или это ваш первый визит?

— Это мой первый визит. Вы принимаете новых пациентов?

— Да, принимаем. Какая у вас страховка?

— Вы принимаете страховку Оксфорд?

— Конечно. Вы предпочитаете прийти на прием утром или днем?

— Лучше утром. Врач принимает пациентов по субботам?

— Да. Я запишу вас на 10 утра в субботу, но, пожалуйста, приходите пораньше, чтобы заполнить необходимые бумаги.

Section 2

At the doctor's office / На приеме у врача

Words

health-related problems	проблемы со здоровьем
leg cramps	судороги в ногах
backache	боль в спине
lower back pain	боль в пояснице
flu shot	прививка против гриппа
sinus infection	синусит
numbness	онемение
tingling = pins and needles	мурашки
shortness of breath	одышка
electrocardiogram	электрокардиограмма
bed sores = bed lesions	пролежни
earache	боль в ухе
ear infection	ушная инфекция
asthma	астма
weight problems	проблемы с весом
to lose weight	терять вес
to gain weight	набирать вес

Expressions

I feel dizzy and drowsy.	Я чувствую головокружение и сонливость.
It hurts (burns, itches).	У меня болит (жжет, чешется).
to strain a muscle	потянуть мышцу
to sprain an ankle	растянуть лодыжку
to twist an ankle	вывихнуть лодыжку
I am exhausted/run down.	Я страшно устал.
Can you describe your symptoms?	Опишите, пожалуйста, свои симптомы.
How long have you had this problem?	Давно у вас эта проблема?
I don't feel well.	Я плохо себя чувствую.
Is there a family history of diabetes (cancer, heart disease, arthritis)?	Болел ли кто-нибудь в вашей семье диабетом (раком, сердечными заболеваниями, артритом)?
Do you frequently experience fatigue?	Вы часто ощущаете сильную усталость?

Dialogue

At the doctor's office

— Good morning, I am Doctor Jones. What seems to be the problem?

— Doctor, I found a lump in my left breast.

— Do you have any pain there? How about nausea, dizziness, unusual fatigue?

— It does not hurt there, and I don't have any other symptoms, but sometimes I get shooting pains in my left arm. Is it serious, Doctor?

— Well, the first thing I'd like to say is that we should not jump to any conclusions.

— So you are saying that I have nothing to worry about?

— No, I am saying we should run all the necessary tests to find out what it is, plus an electrocardiogram for those shooting pains.

— Doctor, I am very worried about this. I could not sleep at all last night.

На приеме у врача

— Доброе утро. Меня зовут доктор Джонс. На что жалуетесь?

— Доктор, я нашла уплотнение в левой груди.

— Там есть болевые ощущения? Как насчет тошноты, головокружения, необычной усталости?

— Там у меня не болит, и других симптомов у меня тоже нет, но иногда я чувствую стреляющую боль в левой руке. Это что-то серьезное, доктор?

— Ну, прежде всего, не нужно торопиться с выводами.

— Думаете, мне не о чем беспокоиться?

— Нет, вы должны сделать все необходимые анализы, чтобы выяснить, что это; плюс электрокардиограмму в связи с вашими стреляющими болями.

— Доктор, я очень обеспокоена всем этим. Я прошлой ночью совсем не спала.

Section 3

In the hospital / В больнице

Words

emergency room	отделение скорой помощи
911 (nine-one-one)	телефон скорой помощи
surgery	хирургия/хирургическая операция
stitches	швы
anesthesia (local and general)	наркоз (местный и общий)
pain	боль (общий термин)
ache	боль (постоянная, в определенном органе)
concussion	сотрясение (мозга)
main desk	регистратура
nurse	медсестра
registered nurse	дипломированная медицинская сестра, которая имеет право выписывать рецепты
paramedics	фельдшеры, медперсонал в машине скорой помощи
ambulance	машина скорой помощи
patient	пациент
visiting hours	часы приема
tests	анализы
IV (intravenous) drip	внутривенная капельница
injection = shot	укол
nausea	тошнота
to vomit = to throw up	вырвать, вытошнить

Expressions

This is an emergency!	Это срочный случай!
We had to go to the emergency (room).	Нам пришлось пойти в отделение скорой помощи.
He is not breathing.	Он не дышит.
He is unconscious.	Он без сознания.
I am in a lot of pain.	Мне очень больно.
I was so dizzy I fainted/ passed out.	У меня так кружилась голова, что я упал в обморок.
She is throwing up.	Ее рвет.

She is in intensive care.	Она в реанимации.
He is in the recovery room.	Он в послеоперационной палате.
This is the pediatric ward.	Это детское отделение/детская палата.
The surgery went well, and she is doing fine.	Операция прошла удачно, и у нее все идет хорошо.

Dialogue

In the hospital

— So, in a couple of days my doctor called and said it was a benign tumor.

— Oh, my God, you must have been so relieved!

— Oh, yeah; but the doctor said that he would still recommend remove it surgically.

— Was checking into a hospital a big hassle?

— No, my doctor's office handled all that — called the hospital, set up the surgery date and time, and so on.

— So all you had to do was go into the hospital and have the surgery?

— Not exactly. I had to come in a few days in advance to have some more tests and to meet the surgeon and the anesthesiologist.

— What kind of anesthesia did you have? Was it very unpleasant?

— It was general anesthesia, and I did not even notice when I fell asleep. And when I woke up, I was fine.

В больнице

— Итак, через пару дней доктор позвонил мне и сказал, что это доброкачественная опухоль.

— Боже мой, ты, наверное, испытала облегчение.

— О, да. Но доктор сказал, что он все-таки рекомендует мне удалить опухоль.

— Сложно было устроиться в больницу?

— Нет, все устроили в регистратуре моего врача: они позвонили в больницу, назначили день и время операции, и т.д.

— Так все, что тебе нужно было сделать, это прийти в больницу и лечь на операцию?

— Не совсем. Мне пришлось прийти за несколько дней, чтобы сделать еще несколько анализов, необходимых для операции и анестезии.

— Какой наркоз тебе делали? Это было очень неприятно?

— Общий наркоз, я даже не заметила, как я уснула. Когда я проснулась, я уже нормально себя чувствовала.

Section 4

Mental health / Психическое здоровье

Words

mental disease	душевная болезнь
depression	депрессия
anxiety	беспокойство, тревожность
mental stress	напряжение, стресс
emotional distress	эмоциональное расстройство
nervous breakdown	нервный срыв
anti-depressants	антидепрессанты
self-esteem	самоуважение; чувство собствен-ного достоинства
insomnia	бессонница
psychologist	психолог
psychiatrist	психиатр
psychotherapist	психотерапевт
psychic	экстрасенс, медиум
psychoanalyst = shrink (сленг)	психоаналитик
psychopath	психопат
psychosis	психоз
anger	гнев
rage	ярость
suicide	самоубийство
positive thinking	позитивное мышление

Expressions

He is mentally ill.	Он — душевнобольной.
I have been depressed lately.	Последнее время я нахожусь в депрессии.
I am always anxious.	Я постоянно испытываю тревогу.
I get irritable and angry all the time.	Я все время раздражаюсь и сержусь.
He is often in a rage, and that makes him aggressive.	Он часто приходит в ярость, и это делает его агрессивным.
I am all stressed out.	Я измотан.
I think she is suicidal.	Я думаю, у нее склонность к само-убийству.
That was a traumatic experience.	Это была душевная травма.
I think I am going crazy.	По-моему, я схожу с ума.

I don't know what's wrong with me.	Я не знаю, что со мной не так.
I'd like to have some therapy.	Я бы хотел пройти лечение.
outpatient clinic	поликлиника
battery of tests	группа тестов
compromised immune system	подавленная иммунная система
tumors (benign or malignant)	опухоли (доброкачественная и зло-качественная)
autoimmune disorder	аутоиммунное расстройство
sleep disorders	нарушения сна
to feel nauseous	чувствовать тошноту
schizophrenia	шизофрения
bi-polar disorder = manic-depressive	маниакально-депрессивный психоз
postpartum depression	послеродовая депрессия
I found a lump in my breast.	Я нашла уплотнение у себя в груди.
He is as fit as a fiddle.	Он бодрый как огурчик.
I've got the blues.	Мне грустно.
He is in the doldrums.	Он хандрит.
I am a little under the weather.	Я себя неважно чувствую.
I've got a splitting headache.	У меня раскалывается голова.
His condition is deteriorating rapidly.	Его состояние быстро ухудшается.
The surgeon performed a double bypass.	Хирург произвел двойное шунтирование.

Dialogue

Mental health

- My family physician said I needed to talk to a psychiatrist and referred me to you, Doctor. I hope you can help.
- I'll do my best. What seems to be troubling you?
- I am so anxious when I go to bed at night that I cannot relax and fall asleep.
- And how do you feel when you wake up?
- Exhausted and depressed, so I can't get anything done.
- How long has this been going on? And what do you think may have set it off?
- I've been feeling this way for over two months. My wife and I got divorced six months ago.
- Divorce is a very traumatic experience, and you could simply be having a delayed reaction.

— What should I do? I am afraid I'll lose my job — which, of course, makes me even more stressed out.

— First of all, I am going to prescribe a sleeping aid, so that you no longer suffer from sleep deprivation. Secondly, I want you to come in for a therapy session. And if none of this works, then we can consider trying some antidepressants.

Психическое здоровье

— Мой семейный врач сказал, что мне необходимо обратиться к психиатру, и направил меня к вам, доктор. Я надеюсь, вы сможете мне помочь.

— Я сделаю все, что от меня зависит. Что вас беспокоит?

— Мне так тревожно, когда я ложусь спать вечером, что я не могу расслабиться и уснуть.

— А как вы чувствуете себя, когда просыпаетесь?

— Изможденным и угнетенным, так что я не могу ничего делать.

— Как долго это продолжается? И что, по вашему мнению, могло послужить толчком?

— Я себя чувствую подобным образом уже более двух месяцев. Мы с женой развелись полгода назад.

— Развод — это душевная травма, и, возможно, у вас просто отсроченная реакция.

— Что мне делать? Я боюсь, что я потеряю работу, и это еще больше выбивает меня из колеи.

— Прежде всего, я вам выпишу снотворное, чтобы вы больше не страдали от недосыпания. Во-вторых, я хотел бы, чтобы вы пришли ко мне на сеанс терапии. И если все это не поможет, мы подумаем о применении антидепрессантов.

Exercises

Упражнение 1

Вставьте пропущенный глагол.

A. I need to ___ an appointment. (*give, make, do, take*)

B. We should ___ some tests. (*jump, go, run, give*)

C. I'd like to ___ your blood pressure. (*have, see, do, check*)

D. I want to ___ his temperature. (*go, take, have, make*)

E. I am going to ___ her a shot. (*give, make, do, run*)

Упражнение 2
Вставьте пропущенное слово.

A. A fever of a 101 is pretty ___. (*tall, big, high, small*)

B. A leg cramp can be very ___. (*hurtful, pleasant, stupid, painful*)

C. If you are ___, you should talk to a psychotherapist.
   (*nauseous, drowsy, depressed, hurting*)

D. They need to run some blood ___. (*checks, tests, takes, exams*)

E When they put you to sleep, that's ___ anesthesia.
   (*local, common, general, overall*)

Упражнение 3
Вставьте пропущенный предлог.

A. The surgery is over, and he is just coming ___ anesthesia.
   (*out of, from under, through, into*)

B. They put an IV drip ___ my arm. (*through, on, into, out of*)

C She can't get ___ that traumatic experience.
   (*into, over, out of, onto*)

D. He was put ___ medication for his high blood pressure.
   (*in, with, under, on*)

E. I stopped ___ the hospital during visiting hours.
   (*in, over, by, into*)

Упражнение 4
Выберите нужное слово в каждом предложении.

A. When you cut your hand, it ___. (*drips, burns, bleeds, itches*)

B. You can get a concussion if you ___your head. (*nod, hit, pat, chill*)

C. I was so nauseous, I almost ___. (*fell asleep, ran, threw up, jumped down*)

D. Surgery is usually performed at ___. (*the doctor's office, home, a clinic, the hospital*)

E. Morphine is ___. (*anti-inflammatory, a painkiller, a sleeping aid, an illegal substance*)

Упражнение 5

Выберите нужное слово в каждом предложении.

A Asthma ___ it hard to breathe. (*makes, does, goes, works*)

B. The surgery was ___ for two o'clock.
(*made, done, scheduled, finished*)

C. He is ___ into the hospital today. (*planning, lying, scheduling, going*)

D. She is ___ antidepressants. (*drinking, taking, eating, swallowing*)

E. If you need something at the hospital, you call ___.
(*a doctor, a nanny, a nurse, a relative*)

Упражнение 6

Вставьте пропущенный предлог.

A. I am going to refer you ___ a good cardiologist. (*with, at, from, to*)

B. Her moods swing ___ one extreme ___ another.
(*up...down, from...to, in...out, over...under*)

C. The symptoms disappeared when she grew___. (*off, over, down, up*)

D. I am running a bit of a fever, so I am feeling ___ the weather.
(*in, with, under, over*)

E. You have to come again ___ two weeks. (*on, in, through, over*)

Упражнение 7

Сделайте предложение вопросительным.

A. This has been going on for a long time.

_____

B. Older people often suffer from arthritis.

_____

C. Post-nasal drip makes you cough.

_____

D. This flu's been going around.

_____

E. Depression can cause insomnia.

_____

Упражнение 8

Сделайте предложение отрицательным.
Употребите краткую отрицательную форму глагола.

A. I like going to the doctor's early in the morning.

_____

B. He can schedule your surgery as early as you want.

_____

C. I was able to get us a Saturday appointment.

_____

D. She could have done this better..

_____

E. He is recovering as fast as they hoped.

_____

.

Phonetics

Чтение буквы K перед N

В начале слова **K** перед **N** не произносится:

knack [næk]
knapsack [ˈnæpsæk]
knave [neɪv]
knead [niːd]
knee [niː]
kneecap [ˈnikæp]
kneel [niːl]
knell [nel]
knickers [ˈnɪkərz]
knickknack [ˈnɪkˌnæk]

knife [naɪf]
knit [nɪt]
knight [naɪt]
knob [nɔb]
knock [nɔk]
knoll [nəʊl]
knot [nɔt]
knout [nəʊt]
know [nəʊ]
knuckle [ˈnʌkəl]

Let's Practice

Переведите с русского на английский. Потом сверьте свой вариант с ответом на обороте страницы.

Making an appointment / Запись на прием

1. Мне надо записаться на прием к дерматологу.

2. Скажите, пожалуйста, доктор принимает пациентов по вечерам?

3. Страховка обычно не покрывает все процедуры.

4. Вам нужно заполнить эту форму.

At the doctor's office / На приеме у врача

5. Утром он идет на прием к своему терапевту.

6. Мой бывший врач выписал мне антибиотики.

7. Мне сделали прививку от гриппа, и у меня распухло плечо.

8. Мне надо принимать это лекарство, пока не исчезнут симптомы?

In the hospital / В больнице

9. Ему пришло время ложиться в больницу.

10. Он все время говорит о своем здоровье.

11. Пришла медсестра и дала мне попить.

12. Я чувствую себя намного лучше; меня скоро выпишут.

Mental health / Психическое здоровье

13. Вы выглядите измученным; возможно, вы недосыпаете.

14. Он ведет очень напряженную жизнь, и его мучает бессонница.

15. Моя бессоница меня убивает; я не могу функционировать в течение дня.

16. Он был таким оптимистом; как случилось, что он впал в депрессию?

Проверьте себя

Making an appointment / Запись на прием

1. I need to make an appointment with a dermatologist.
2. Tell me, please, does the doctor see patients in the evenings?
3. Insurance usually does not cover all of the procedures.
4. You need to fill out this form.

At the doctor's office / На приеме у врача

5. He is going to see his therapist in the morning.
6. My former doctor prescribed me antibiotics.
7. I was given a flu shot and my shoulder swelled up.
8. Do I need to take this medication until the symptoms disappear?

In the hospital / В больнице

9. The time has come for him to go into the hospital.
10. He talks about his health all the time.
11. The nurse came and gave me something to drink.
12. I feel much better now; I will be discharged soon.

Mental health / Психическое здоровье

13. You look exhausted; probably you need some sleep.
14. He leads a very stressful life and suffers from insomnia.
15. My insomnia is killing me; I cannot function during the day.
16. He was such an optimist; how come he got depressed?

At the Pharmacy
В аптеке

Let's Study

1. Слова EITHER, NEITHER, BOTH

Сегодня мы поговорим об употреблении слова **either** и нескольких связанных с ним слов. Слова эти всем знакомы и употребляются очень часто (во всяком случае, американцами). Однако, они имеют свои особенности, и для того, чтобы добиться ясности, с ними придется «повозиться». Сначала несколько вводных замечаний.

1) У слова **either** есть как бы «отрицательный двойник» — **neither**, но сферы их употребления, как мы увидим, не совпадают.

2) Оба эти слова имеют два варианта произношения, причем их часто приводят как пример отличия британского и американского произношения. Англичане произносят первый гласный звук как «ай», американцы — как длинное «и». На самом деле, если прислушаться, в Америке можно услышать и британский вариант. Из этого следует практический вывод: вы можете пользоваться тем вариантом произношения этих слов, который привычен для вас (известно, что в России большинство учителей используют британский вариант).

Рассмотрим сначала три слова, (а точнее — три коротких оборота):

both ... and ... — как ..., так и ...
either ... or ... — или ..., или ...
neither ... nor ... — ни ..., ни ...

You can drink both wine and beer. — Вы можете пить как вино, так и пиво.

He is either sick or drunk — he behaves very strangely. — Он то ли болен, то ли пьян — он ведет себя очень странно.

Either come in or go out; don't stand in the doorway. — Или входите, или выходите; не стойте в дверях.

She speaks neither German nor French. — Она не говорит ни по-немецки, ни по-французски.

Слова **both** и **neither** часто употребляются в качестве односложного ответа на вопрос:

Do you sing or dance? — Both. — Ты поешь или танцуешь? — И то, и другое.

Do you want to go to the park or to the movies? — Neither. — Хочешь пойти в парк или в кино? — Ни то, ни другое.

Слово же **either** (которое здесь переводится «любой из двух») обычно требует более развернутого ответа:

Would you like to come on Saturday or Sunday? — Either day is OK. — Вы хотите прийти в субботу или в воскресенье? — Любой из этих дней подойдет.

Сейчас небольшое отступление: известно, что существительное, которое уже встречалось в предыдущем предложении, часто заменяется словом one — вот образец:

Which car? — The one near you. — Какая машина? — Та, что рядом с вами.

Поэтому данная конструкция со словом one становится как бы универсальной и, вследствие этого, очень употребительной, своеобразной «палочкой-выручалочкой» (поэтому она и вынесена в заголовок).

Either one is fine. — И то, и другое подходит. (И так, и так хорошо).

You have two options. Which one do you choose? — Either one is fine. — У вас два варианта. Какой вы выбираете? — Меня устраивает любой.

2. Другие значения слова EITHER

Все три упомянутых слова (**both, either, neither**) могут употребляться как с предлогом **of**, так и без него, что создает некоторую путаницу. Посмотрите: если перед существительным, которое характеризуется одним из приведенных слов, есть такие определители, как **the, these, those, my, your** и т.п., — нужен предлог **of**:

I like both of these pictures. — Both pictures are here. — Мне нравятся обе картины. — Обе картины здесь.

Is either of the boys coming with us? — You can use either hand. — Кто-нибудь из (двух) мальчиков поедет с нами? — Вы можете это сделать любой рукой (из двух).

Neither of my sisters is married. — Neither book is good. — Ни одна из моих сестёр не замужем. — Ни одна книга не подходит.

Но перед личными местоимениями ставится только форма с предлогом **of**:

Both of you are nice guys. — Вы оба — хорошие ребята.

Either of them can do it. — Любой из них может это сделать.

Neither of us likes music. — Ни один из нас не любит музыку.

Итак, подводим итог: первое значение **either** — «любой (из двух)». В этом его отличие от слова **any** — «любой (из многих)».

You can go either way. — Вы можете пойти и в ту, и в другую сторону.

You can take either glass — both of them are clean. — Вы можете взять любой стакан — они оба чистые.

Теперь второе важное значение слова **either** — «тоже». Дело в том, что слову «тоже» в утвердительном смысле соответствуют несколько английских слов: **too, also, as well**; а в отрицательном — только одно — **either**.

I'm hungry, too. — Я тоже голоден.

I'm not hungry, either. — Я тоже не голоден.

Запятую, отделяющую эти слова, можно ставить, а можно и не ставить — выбираем то, что нам больше нравится.

Mary can't swim. — I can't, either. — Я тоже не умею.

This is not my book. — It's not mine, either. — И не моя тоже.

У этого значения слова **either** есть своя сложность: оно используется в отрицательных предложениях и поэтому как бы уравнивается со словом **neither**. Однако, употребляются они по-разному; путать их — явная ошибка.

Neither является частью характерного оборота **"So do I. — Neither do I".** (И я тоже. — А я — нет.), который коротко дополняет предыдущее предложение. При этом глагол **to do** заменяет все другие глаголы, кроме сильных (напр., **to be, can, must, will**).

Mary likes music and so do I. — Мэри любит музыку, я тоже.

She doesn't smoke and neither does John. — Она не курит, и Джон тоже.

Особенность этого оборота — в обратном порядке слов. Оборот со словом **either** полностью эквивалентен ему, но порядок слов в нем обычный. Поэтому нужно выбирать один из этих оборотов:

I don't know the answer, and neither does he. — Я не знаю ответ, и он тоже.

I don't know the answer, and he doesn't, either. — Я не знаю ответ, и он тоже.

Вариант со словом **either** — более живой, разговорный.

> **He won't come tomorrow, and I won't, either.** — Он не придет завтра, и я тоже (не приду).

В заключение необходимо еще раз обратить внимание на тот факт, что слово **either** является как бы индикатором естественной речи — англичане и американцы употребляют его очень часто, а изучающим язык оно дается с трудом. Поэтому стоит поработать над тем, чтобы включить его в свою речь.

3. Перевод слов «еще», «уже»

Мы разберем основные значения этих слов; сначала же давайте рассмотрим самое сложное — употребление «еще» и «уже» в паре, когда они имеют отношение к действию, длящемуся во времени, и как бы сопоставляют наши ожидания с тем, насколько быстро развивается это действие.

В английском языке эту нагрузку несут не два, а три слова (**still**, **already**, **yet**); при этом картина их употребления совсем непривычна для нас:

still — еще; все еще (действие все еще продолжается, хотя мы ожидаем, что оно скоро кончится).

> **He is still busy.** — Он еще занят.
>
> **Are you still here?** — Ты еще здесь?
>
> **It is still raining.** — Дождь все еще идет.
>
> **I'm still waiting for your reply.** — Я все еще жду вашего ответа.
>
> **I hope that he still lives here.** — Я надеюсь, что он все еще живет здесь.
>
> **Bill is forty, but he still plays basketball.** — Биллу сорок лет, но он все еще играет в баскетбол.

В отрицательных предложениях **still** несет оттенок удивления по поводу того, что ситуация затянулась:

> **It's nearly four o'clock and he still didn't call.** — Уже почти четыре часа, а он все еще не позвонил.
>
> **Mary is in the third grade and she still cannot read.** — Мэри — в третьем классе, а она все еще не умеет читать.

Если же, напротив, мы ожидаем начала действия, то употребляются два других слова (**already**, **yet**):

already — уже (ожидаемое событие уже произошло или действие началось, возможно, скорее, чем ожидалось); это слово часто сочетается с временами группы *Perfect*.

> **He is already here.** — Он уже здесь.
>
> **I have already done it.** — Я уже сделал это.

We've already seen that film. — Мы уже видели этот фильм.

I've been there already and I don't want to go again. — Я уже был там и не хочу идти еще раз.

I've already told him about it. — Я уже сказал ему об этом.

Слово **already** может стоять в вопросительном предложении:

Have you eaten already? — Вы уже поели?

Is it late already? — Уже поздно?

4. Особенности слова YET

И, наконец, третье слово, которое употребляется только в вопросах и отрицаниях; в утвердительных предложениях оно имеет другое значение: **yet** — «еще не»; «уже» (спрашиваем, началось ли ожидаемое действие (состояние) или сообщаем, что оно никак не начнется).

Are you here yet? — Ты уже здесь?

Is John back yet? — Джон уже вернулся?

He is not here yet. — Его еще нет.

Has the mail come yet? — Почта уже пришла?

Are you ready yet? — Вы уже готовы?

Aren't you ready yet? — Вы еще не готовы?

Are you ready? — Not yet. — Вы готовы? — Еще нет.

Обратите внимание, что слова **still**, **already** и **yet** по-разному располагаются в утвердительном предложении: **still** (как большинство наречий) — в так называемом «среднем» положении (после глагола **to be** или другого вспомогательного глагола, а если они отсутствуют, то перед смысловым глаголом); **yet** — в конце фразы; **already** — и в том и в другом положении.

Надо сказать, что сферы употребления этих слов разделены не совсем четко. В вопросах и отрицаниях «положено» стоять слову **yet**, но **still** и **already** также могут появляться в них, чтобы выразить удивление. Например, фразу «Они уже уехали?» можно перевести двояко:

Have they left yet? — (это бесстрастный вопрос) или

Have they left already? — Как, они уже уехали?

Как видите, ситуация весьма запутанная. Однако, обойтись без этих слов в разговоре не удается, так что надо привыкать к их употреблению.

К русскому слову «еще» мы еще вернемся (здесь нужен совсем другой перевод). А сейчас давайте рассмотрим оставшиеся значения слов **still** и **yet**. Они встречаются не так уж часто, но, оставаясь непонятыми, только усугубляют путаницу.

Существует прилагательное **still** — неподвижный, спокойный, тихий.

The night was still. — Ночь была тиха.

still waters of the lake — неподвижная гладь озера

to stand still — не двигаться, остановиться

Her heart stood still. — Ее сердце замерло.

Stand still! I'm taking your picture. — Не двигайтесь! Я вас фотографирую.

He could not keep still. — Он не мог усидеть на месте.

Sit still! — Сидите смирно!

still picture — стоп-кадр

still life — натюрморт

stillborn — мертворожденный

Still waters run deep. (Посл.) — В тихом омуте черти водятся. (т.е. на поверхности не всегда отражается то, что происходит внутри — как хорошее, так и плохое).

И, наконец, в одном значении слова **still** и **yet** являются синонимами и переводятся как «однако; все же; тем не менее»:

She has many friends, still she feels lonely. — У нее много друзей, и все же она чувствует себя одинокой.

Everyone was waiting for him, still he didn't come. — Все его ждали, однако он не пришел.

He studied hard, yet he failed the exam. — Он упорно занимался, однако провалил экзамен.

You can't rely on Bob, and yet friends like him. — На Боба нельзя положиться, и тем не менее друзья его любят.

5. Особенности слов MORE, ELSE

Если первое значение слова «еще», было связано со временем, то второе переводится английским **more** и говорит о дополнительном количестве чего-либо. Здесь просматривается основное значение **more** — «больше», но русский перевод чаще всего будет другим:

I need more time. — Мне нужно больше времени.

I need more paper clips. — Мне нужны еще скрепки.

Would you like some more tea? — Хотите еще чаю?

I'd like some more, please. — Еще немного, пожалуйста.

Очень часто встречаются словосочетания **one more; once more; one more time**, при этом два последних из них полностью эквивалентны и означают «еще раз».

Sing one more song. — Спойте еще одну песню.

Sing it once more. — Спойте ее еще раз.

Read the text one more time. — Прочтите текст еще раз.

Give me one more cigarette. — Дайте мне еще одну сигарету.

May I have one more? — Можно я возьму еще одну?

Интересно, что антонимом этого значения «еще» будет «больше не»:

I want more coffee. — Я хочу еще кофе.

Give me some more. — Дайте мне еще немного.

No more coffee for me. — Мне не надо больше кофе.

Оборот «больше не» может также описывать конец какого-то действия или состояния; в этом случае имеется еще один изящный вариант его перевода на английский:

We don't live here any more. = We no longer live here. — Мы больше здесь не живем.

She no longer loves you. — Она тебя больше не любит.

I cannot wait any longer. — Я больше не могу ждать.

Другая близкая по смыслу разговорная конструкция: «еще есть» — «больше не осталось».

There are two apples left on the plate. — На тарелке есть еще два яблока.

There is nothing left in the cup. — В чашке больше ничего нет.

I haven't got any money left. — У меня больше не осталось денег.

There are three days left. — Осталось еще три дня.

Третье английское слово, соответствующее русскому «еще» — **else**. Точного перевода для него нет; по смыслу оно близко к понятию «другой». **More** говорит о добавлении того, что уже было; **else** — переключает внимание на другой объект.

What else do you want? — Чего еще ты хочешь?

Who else will go with me? — Кто еще пойдет со мной?

Where else can we go? — Куда еще мы можем пойти?

Слово **else** очень часто сочетается с неопределенными местоимениями типа **something** (эти конструкции очень важны для разговорной речи:

Ask someone else. — Спроси кого-нибудь еще (другого).

Nobody else understands me. — Никто другой меня не понимает.

Would you like to drink anything else? — Хотите выпить чего-нибудь еще?

Let's go somewhere else. — Давайте пойдем куда-нибудь еще (в другое место).

I don't know anything else about him. — Я больше ничего о нем не знаю.

Очень необычно выглядит это слово в притяжательной форме, показывая, что объект принадлежит кому-то другому (чей-то, чужой):

I left my umbrella in someone else's car. — Я забыл свой зонтик в чьей-то машине.

Section 1

Prescription drugs / Лекарства по рецепту

Words

drugstore	магазин, где продаются товары повседневного спроса, а также есть аптечный отдел.
pharmacy	аптека
medicine = drug	лекарство
medication	лекарственный препарат
wonder drug	чудодейственное лекарство
side effects	побочные эффекты
placebo	плацебо
clinical studies	клинические исследования
antibiotics	антибиотики
co-payment	дополнительная плата за лекарство или визит к врачу (вносимая пациентом и не покрываемая страховкой)
painkiller	сильное болеутоляющее средство
heartburn	изжога
palpitation	учащенное сердцебиение
diabetes	диабет
dizziness = vertigo	головокружение
high blood pressure	высокое кровяное давление
constipation	запор
diarrhea	понос
gallstones	камни в желчном пузыре
dryness in the mouth = = dry mouth	сухость во рту
nausea	тошнота
brand-name drugs	фирменные лекарства
generic drugs	более дешевые аналоги фирменных лекарств

adverse reaction	негативная реакция
birth-control pills and device	противозачаточные таблетки и средства
hot flashes	приливы во время менопаузы
stomach ulcer	язва желудка
duodenal ulcer	язва поджелудочной железы
stomach flu	желудочный грипп
allergic reaction	аллергическая реакция
capsules	капсулы
sedatives	успокоительные препараты
tranquilizers	транквилизаторы
antihistamine drugs	антигистаминные препараты
boric acid solution	раствор борной кислоты

Expressions

I am allergic to penicillin.	У меня аллергия на пенициллин.
I have an adverse reaction to this drug.	У меня непредсказумая реакция на это лекарство.
Is there a generic version of this drug?	Есть ли более дешевый аналог этого лекарства?
Will my insurance cover the cost of this drug?	Покроет ли моя страховка стоимость этого лекарства?
What are the side effects of this drug?	Какие побочные эффекты у этого лекарства?
Can this drug be taken with other drugs?	Это лекарство можно принимать с другими лекарствами?
Can this drug be taken during pregnancy?	Это лекарство можно принимать во время беременности?
Can this drug be taken while breastfeeding?	Это лекарство можно принимать в период кормления грудью?
Clinical studies proved the effectiveness of this drug.	Клинические исследования подтвердили эффективность этого препарата.
This drug should be taken on an empty stomach.	Это лекарство следует принимать на пустой желудок.
This drug can cause dizziness.	Это лекарство может вызвать головокружение.
You should not be driving while taking this drug.	Когда принимаете это лекарство, не следует водить машину.
cure-all = panacea	панацея
Shake before taking!	Перед употреблением взболтать!

Dialogue

Prescription drugs

— Excuse me, please, where can I find a pharmacy around here?

— There is one just around the corner next to the bank.

— I've come to pick up my medicine — my doctor phoned in the prescription.

— It's not ready yet — please come back in half an hour, and make sure you have your insurance card with you.

— OK, and tell me please whether I can take this drug together with aspirin? As I told you before, I'm still taking aspirin on a daily basis.

— This drug does not combine well with aspirin — you can take either this drug, or aspirin, but not both of them together.

— Then I will take neither one till I call my doctor. I hope he has not left his office yet.

Лекарства по рецепту

— Извините, пожалуйста, где тут поблизости аптека?

— Прямо за углом, рядом с банком.

— Я пришел получить лекарство; мой врач звонил вам и передал рецепт.

— Оно еще не готово. Пожалуйста, зайдите через полчаса. И не забудьте захватить карточку своей медицинской страховки.

— Хорошо. И скажите мне, пожалуйста, могу ли я принимать это лекарство вместе с аспирином? Я уже говорил вам, что я все еще ежедневно принимаю аспирин.

— Это лекарство не сочетается с аспирином; вы можете принимать или его, или аспирин, но не оба вместе.

— Тогда я не буду принимать ни то, ни другое, пока не позвоню своему врачу. Надеюсь, он еще не ушел с работы.

Section 2

Over-the-counter drugs = non-prescription drugs / Лекарства без рецепта

Words

fever	температура
cold	насморк
flu	грипп
itchiness	зуд
to sneeze	чихать

cough	кашель
headache	головная боль
pain	боль
pain reliever	болеутоляющее средство
insomnia	бессонница
sleeping aid	средство от бессонницы
upset stomach	расстройство желудка
toothache	зубная боль
hay fever	сенная лихорадка
allergy	аллергия
rash	сыпь
petroleum jelly	вазелин
band-aid	гигиенический пластырь
pinkeye	конъюнктивит
premenstrual syndrome = PMS	предменструальный синдром
acne	угри
children's medicine = = children's strength medicine	детское лекарство
drowsiness	сонливость
aches and pains	нытье и ломота (во всем теле)
expiration date	срок годности
cough suppressants	средства от кашля
cough drops	леденцы от кашля
to gargle	полоскать горло
to rinse (one's mouth)	полоскать рот
flu shot	прививка от гриппа
dosage	доза
nasal congestion	заложенный нос
nasal sinuses	носовые пазухи

Expressions

I have a sore throat.	У меня болит горло.
My eyes are red (= bloodshot) and watery.	У меня глаза покраснели и слезятся.
My nose is running.	У меня течет из носа.
She has a runny nose.	У нее течет из носа.
He has a stuffy nose.	У него заложен нос.
He is running a fever.	У него температура.
What would you recommend for this illness?	Что вы посоветуете от этой болезни?

Where can I find this medicine?	Где я могу найти это лекарство?
I need something for a migraine.	Мне нужно что-нибудь от мигрени.
I sleep badly.	Я плохо сплю.
This drug may cause a bad headache.	Этот препарат может вызвать сильную головную боль.
I have a bad cough.	У меня сильный кашель.
My baby is teething.	У моего малыша режутся зубки.
My child has an upset stomach.	У моего ребенка расстройство желудка.

Dialogue

Over-the-counter drugs=non-prescription drugs

— Excuse me, where can I find something for the flu?

— All the cold and flu medicines are in aisle 7, on your right.

— But how do I know which one is the best?

— Read the list of ingredients and additional information on the box.

— Can I give this medicine to my child, as well?

— No, there are children's strength medicines on the next shelf, and please read the directions carefully before giving it to your child.

— And also, what should I take for my allergy? I am sneezing all the time, my eyes are itchy and watery.

— Either this medication or that one will help you with those symptoms.

— They both seem rather expensive — what else do you have?

— Here it is; this one is cheaper.

Лекарства без рецепта

— Простите, где я могу найти что-нибудь от гриппа?

— Все препараты от гриппа и простуды в седьмом ряду справа от вас.

— А как мне узнать, какой из них самый лучший?

— Прочтите список ингредиентов и информацию на коробке.

— Своему ребенку я тоже могу давать это лекарство?

— Нет, лекарства для детей на следующей полке. И, пожалуйста, внимательно прочитайте инструкцию прежде, чем давать лекарство ребенку.

— И еще вопрос — что мне лучше принимать от аллергии? Я чихаю все время, глаза чешутся и слезятся.

— Любое из этих двух лекарств поможет вам при этих симптомах.

— Похоже, они оба дорогие; а что-нибудь другое у вас есть?
— Вот, пожалуйста; это лекарство дешевле.

Section 3

Health and beauty aids / Предметы личной гигиены

Words

liquid soap	жидкое мыло
body wash	жидкое мыло для тела
shampoo	шампунь
conditioner	кондиционер для волос
oily skin	жирная кожа
greasy hair = oily hair	жирные волосы
hand lotion	крем для рук
face cream	крем для лица
body lotion	крем (лосьон) для тела
moisturizer	увлажняющий лосьон/крем
chapped lips	обветренные губы
chapstick	бесцветная гигиеническая помада (для обветренных губ)
Kleenex = tissues	бумажные носовые платки
feminine hygiene	женская гигиена
tampons	тампоны
sanitary napkins	гигиенические прокладки
condoms	презервативы
dandruff	перхоть
hair dye = hair coloring	краска для волос
styling gel	гель для укладки волос
volumizing mousse	мусс для придания волосам объема
hair spray	лак для волос
deodorant spray	дезодорант-аэрозоль
nail polish	лак для ногтей
nail clippers	щипчики для ногтей
emery board	пилочка для ногтей
makeup = cosmetics	косметика
lipstick	губная помада
eyeliner	карандаш для глаз
mascara	тушь для ресниц
cologne	одеколон

diapers	подгузники
scent-free	без запаха
gauze bandage	марлевый бинт
elastic bandage	эластичный бинт
gauze = cheesecloth	марля
dental floss	зубная нить
hot water bottle	грелка
pacifier	детская соска
bib	слюнявчик
sunscreen lotion	крем от загара
suntan lotion	крем для загара
bad breath	запах изо рта
gum disease	болезнь десен
plaque	налет на зубах
tartar	зубной камень

Expressions

Do you carry beauty products?	У вас есть косметические товары?
I can't find nail polish.	Я не могу найти лак для ногтей.
Where do you keep cotton balls?	Где мне найти ватные шарики?
What antiseptic would you recommend for small cuts?	Какое дезинфицирующее средство вы бы порекомендовали для порезов?
What mouthwash is best for bad breath?	Какое полоскание лучше всего от запаха изо рта?
Do you have any hypoallergenic lotion?	У вас есть гипоаллергенный крем?
In what aisle should I look for baby products?	В каком ряду детские товары?
I need some hairpins, bobby pins, and hair barrettes.	Мне нужны шпильки, невидимки, и декоративные заколки.
Where can I find hairbrushes and combs?	Где я могу найти щетки для волос и расчески?
This toothpaste reduces plaque.	Эта зубная паста уменьшает налет на зубах.
All toothpastes contain fluoride to fight caries.	Все зубные пасты содержат фтор для предотвращения кариеса.
A healthy mind in a healthy body.	В здоровом теле здоровый дух.
Do you have a mustard plaster?	У вас есть перцовый пластырь?
Beauty is in the eye of the beholder.	Красота в глазах смотрящего. (Посл. = У каждого свое представление о красоте.)

How do you treat the flu?	Как лечить грипп?
Can you suggest any oriental remedies for the flu?	Можете ли вы посоветовать какое-нибудь восточное средство от гриппа?
Scientists are still trying to find a cure for the common cold.	Ученые все еще пытаются найти средство от обычной простуды.
My headache is killing me.	У меня дикая головная боль.
Do you have any over-the-counter drugs for migraines?	У вас есть лекарства от мигрени, которые можно купить без рецепта?
I've been taking this medicine, but I am not feeling any better.	Я принимал это лекарство, но мне не становится лучше.

Dialogue

Health and beauty aids

— There are too many different shampoos in the section — how do I choose which one to buy?

— There are shampoos for dry, oily, and normal hair — you read what is written on the bottle and choose the one that suits you best.

— I have dry skin and regular soap makes it drier.

— For dry skin we have moisturizing soap as well as moisturizing lotions.

— My baby keeps getting a rash on his bottom — what can I get for it?

— Take a tube of diaper rash ointment.

— Also, I would like to buy lipstick and nail polish that will match it.

— Follow me; I'll show you where to find them.

Предметы личной гигиены

— В этом отделе слишком много разных шампуней; как мне выбрать, какой купить?

— Есть шампуни для сухих, жирных и нормальных волос; прочитайте, что написано на бутылочке и выберите тот, который вам больше подходит.

— У меня сухая кожа, и обычное мыло делает ее еще суше.

— Для сухой кожи у нас есть увлажняющее мыло, а также увлажняющие лосьоны.

— У моего малыша постоянно сыпь на попке; у вас есть что-нибудь от этого?

— Вы можете взять тюбик мази от подгузниковой сыпи.

— А еще я хочу купить помаду и в тон к ней лак для ногтей.
— Пойдемте я покажу вам, где их найти.

Section 4

Health food / Здоровая пища (или Диетические и лечебные продукты)

Words

all-natural product	полностью натуральный продукт
protein	белок
soy beans/milk/etc.	соевые бобы/молоко/и т. д.)
rice milk	рисовое молоко
vitamins	витамины
minerals	минералы
multi-vitamins	поливитамины
acidophilus	ацидофилин
herbal remedies	лечебные травы
herbal teas	травяные чаи
spring water	родниковая вода
raw unprocessed honey	необработанный мед
apple cider vinegar with mother seeds	яблочный уксус с косточками
flax seed	семя льна
ginger	имбирь
ginseng	женьшень
alternative medicine	нетрадиционная медицина

Expressions

This product has no artificial coloring (= no food dyes).	В состав этого продукта не входят искусственные красители.
We use no artificial flavors.	Мы не используем искусственные вкусовые добавки.
Products with no preservatives are good for you.	Продукты без консервантов вам на пользу.
Our cookies are sweetened with fruit juices only.	Наше печенье подслащено только фруктовыми соками.
The baked goods we sell have all-natural ingredients.	Наша выпечка приготовлена только из натуральных компонентов.
chicken raised on poultry farm	цыплята, выращенные на птице-ферме

free-range chicken	цыплята, выращенные на свободном выгуле
pesticide-free vegetables	овощи, выращенные без химических удобрений
All our dietary supplements are suitable for vegetarians.	Все наши пищевые добавки подходят вегетарианцам.
We sell essential amino acids in capsule form.	У нас в продаже есть незаменимые аминокислоты в капсулах.

Dialogue

Health food

— Excuse me, I have never been in a health-food store before. What kind of products do you carry?

— All the products we carry are made from all-natural ingredients.

— What does that mean?

— It means: nothing synthetic, no artificial coloring, no artificial flavoring, and no preservatives.

— I see that you have vitamins and minerals here. But a regular drugstore sells them too.

— That is true, but ours are made from natural ingredients only, whereas the drugstore brands often have synthetic ingredients.

— What else do you carry?

— We have herbal remedies, all-natural soaps, shampoos, and beauty products, as well as organic foods.

Здоровая пища

— Извините, я никогда раньше не был в магазине здоровой пищи. Какого рода продукты вы продаете?

— Все товары, которые у нас есть, сделаны из натуральных ингредиентов.

— Что это означает?

— Это означает: никакой синтетики, никаких искусственных красителей или вкусовых добавок, а также никаких консервантов.

— Я вижу, у вас также есть витамины и минералы. Но ведь и в обычной аптеке они продаются?

— Да, это так; но наши продукты сделаны исключительно из натуральных компонентов, в то время как в аптеках часто продаются синтетические.

— Что еще у вас есть?

— У нас есть лечебные травы, натуральное мыло, шампуни, косметика, а также натуральные продукты питания.

Exercises

Упражнение 1
Вставьте пропущенный глагол.

A. Can I ___ this drug with my regular medicine?
   (*eat, drink, take, swallow*)

B. I ___ an allergy to seafood. (*carry, take, do, have*)

C. My insurance does not ___ this drug. (*do, cover, make, carry*)

D. My leg ___ so much, I had to ask for a painkiller.
   (*hurt, jumped, damaged, pained*)

E. Does this medicine ___ drowsiness? (*make, do, cause, carry*)

Упражнение 2
Вставьте пропущенное слово.

A. What sort of ___ effects does this medicine have?
   (*side, front, back, sad*)

B. When you have ___, you want to throw up.
   (*a cold, an ulcer, nausea, insomnia*)

C. ___ drugs are cheaper than brand-name ones.
   (*bad, all-natural, generic, old*)

D. When something itches, it's usually a ___.
   (*cold, burn, pain, rash*)

E. I am going to write you a ___ for penicillin.
   (*receipt, letter, recipe, prescription*)

Упражнение 3
Вставьте пропущенный предлог.

A. I had to pay for it ___ my own pocket. (*from, through, out of, over*)

B. Do you have anything ___ the flu? (*against, from, over, for*)

C. Ear infections are usually treated ___ antibiotics.
   (*by, with, for, through*)

D. I have an adverse reaction ___ this drug. (*on, with, for, to*)

E. This drug should be taken ___ a full stomach. (*in, with, on, for*)

Упражнение 4

Выберите нужное слово в каждом предложении.

A. This doctor's office does not ___ my insurance.
   (*accept, hold, receive, get*)

B. He has a ___ headache. (*accepting, splitting, receiving, worse*)

C. We didn't ___ your prescription. (*plan, hold, receive, place*)

D. I am going to the drugstore, but I am not ___ my son along.
   (*accepting, holding, getting, taking*)

E. What kind of products do you ___? (*carry, held, got, taken*)

Упражнение 5

Выберите нужное слово в каждом предложении.

A. I take all my vitamins along when I ___ abroad.
   (*drive, cross, travel, walk*)

B. This is the newest ___ name medication.
   (*grand, food, brand, drug*)

C. If you want a good exercise, you should be walking,
   rather than ___. (*driving, going, traveling, walking*)

D. I dislike ___ to the doctor. (*driving, going, traveling, walking*)

E. It ___ so much that I went to see my doctor.
   (*drove, hurt, worried, canceled*)

Упражнение 6

Выберите нужное слово в каждом предложении.

A. Getting a flu shot can be ___. (*tired, sick, painful, pleasant*)

B. When I took the band-aid off, my skin was ___.
   (*drowsy, nauseated, dizzy, itchy*)

C. I was so ___, I had to lie down. (*dizzy, energetic, itchy, allergic*)

D. When your skin is dry, it is better to use ___ lotion.
   (*cheap, organic, moisturizing, generic*)

E. It can be expensive to buy only ___ shampoos.
   (*synthetic, all-natural, styling, dandruff*)

Упражнение 7
Сделайте это предложение вопросительным.

A. He prefers to use herbal remedies._____

B. She bought diapers for her baby._____

C. This medicine has helped._____

D. This medication has side effects._____

E. It will be good to find a cure-all._____

Упражнение 8
Сделайте это предложение отрицательным.
Употребите краткую отрицательную форму глагола.

A. They carry herbal remedies at that store.

_____

B. She went shopping today._____

C. It hurts if you touch here._____

D. He takes aspirin for his headache.

_____

E. He has taken this medication already.

_____

Phonetics

Чтение буквосочетания МВ
Буква **В**, стоящая после **М** в конце слова, не произносится.

jamb [dʒæm]

iamb [ˈaɪæm]

lamb [læm]

limb [lɪm]

jamb [dʒæm]

bomb [bɔm]

comb [kɔm]

dumb [dʌm]

numb [nʌm]

thumb [θʌm]

plumb [plʌm]

climb [klaɪm]

crumb [krʌm]

rhomb [rɔm]

rhumb [rʌm]

aplomb [əˈplɔm]

catacomb [ˈkætəˌkəʊm]

succumb [səˈkʌm]

tomb [tuːm]

womb [wuːm]

Let's Practice

Переведите с русского на английский. Потом сверьте свой вариант с ответом на обороте страницы.

Prescription drugs / Лекарства по рецепту

1. Я хочу получить лекарство по рецепту.

2. Какие еще лекарства вы принимаете?

3. Какие побочные эффекты у этого лекарства?

4. Вы должны принимать все прописанные антибиотики.

Over-the-counter drugs / Лекарства без рецепта

5. Что у вас есть от головной боли?

6. Он болен гриппом.

7. Мне посоветовали использовать этот сироп от обычной простуды.

8. Что бы вы рекомендовали от ангины?

Health and beauty aids / Предметы личной гигиены

9. Я не могу найти крем для лица, не имеющий запаха.

10. В каком ряду находятся товары по уходу за волосами?

11. Я ищу коричневую тушь для ресниц.

12. В чем разница между одеколоном и духами?

Health food / Здоровая пища

13. Все наши напитки делаются из родниковой воды.

14. У них в ассортименте много соевых продуктов.

15. Необработанный мед никогда не подвергался нагреванию.

16. Органические овощи выращиваются без пестицидов.

Проверьте себя

Prescription drugs / Лекарства по рецепту

1. I want my prescription filled.
2. What other medications are you taking?
3. What are the side effects of this drug?
4. You must take all the antibiotics prescribed.

Over-the-counter drugs / Лекарства без рецепта

5. What do you have for a headache?
6. He is sick with the flu.
7. I was advised to use this syrup for the common cold.
8. What would you recommend for a sore throat?

Health and beauty aids / Предметы личной гигиены

9. I cannot find a scent-free face cream.
10. Which aisle are all the hair-care products in?
11. I am looking for brown mascara.
12. What is the difference between cologne and perfume?

Health food / Здоровая пища

13. All our drinks are made with spring water.
14. They carry a lot of soybean products.
15. Raw unprocessed honey has never been heated.
16. Organic vegetables are grown without pesticides.

All about Money
Все о деньгах

Let's Study

1. Глагол TO GET

Глагол **to get** занимает особое место в английском языке. Даже среди самых распространенных и многозначных глаголов он выделяется какой-то фантастической универсальностью: иногда он встречается в речи так часто, что создается ощущение, будто он «работает один за всех». Самое интересное, что такая «сверхупотребимость» глагола **to get** относится только к живой, неформальной речи; в официальной или научной лексике он встречается не так часто.

Рассмотрим основные значения этого глагола:

1) получать (обратите внимание, что этот русский глагол тоже употребляется достаточно широко):

She gets $200 a week. — Она получает 200 долларов в неделю.

You got what you deserved. — Ты получил то, что заслужил.

I never got your letter. — Я так и не получил ваше письмо.

He got ten years in prison. — Он сел на 10 лет. (Он получил десять лет тюрьмы.)

When you add 2 and 2, you get 4. — Складывая 2 и 2, вы получаете 4.

It's always nice to get a gift for your birthday. — Всегда приятно получить подарок на день рождения.

He got a raise last month. — В прошлом месяце он получил прибавку к зарплате.

to get a permission — получить разрешение

to get a Master's degree at Columbia University — получить степень магистра в Колумбийском университете

147

I called you and left a message on the answering machine. — Yes, I got it. — Я звонил вам и оставил сообщение на автоответчике. — Да, я получил его. (Мы увидим далее, что выражение **to get the message** употребляется и в другом смысле.)

2) Глагол **to get** охватывает понятие получения/приобретения в значительно более широкой степени, чем это нам привычно: ему также соответствуют глаголы «заполучить», «раздобыть», «достать»:

Where did you get this book? — Где вы достали эту книгу?

Where can I get something to eat? — Где бы мне раздобыть чего-нибудь поесть?

It's hard to get tickets for this show. — На этот спектакль трудно достать билеты.

It's hard to get a taxi here. — Здесь трудно поймать такси.

Для того, чтобы перевод правильно звучал по-русски, иногда приходится использовать и другие глаголы:

This room gets very little sunshine. — В этой комнате очень мало света.

I got several phone calls today. — Мне сегодня звонили несколько раз.

Обратите внимание на важную особенность: глагол **to get** описывает «получение» и для себя и для другого человека:

He got a new job. — Он нашел (получил) новую работу.

He got me a job. — Он нашел мне работу.

I'll get you this book. — Я достану (найду) тебе эту книгу.

Когда речь идет о конкретном предмете, здесь появляется еще один оттенок значения — «принести»:

Get me my shoes. — Принеси мне мои туфли.

Get me some cigarettes. — Раздобудь мне сигарет (купи или возьми где-нибудь).

Стандартная реплика официанта в ресторане:

What can I get you? — Что вам принести?

Сюда же относится значение «подхватить болезнь»:

I got a cold. — Я простудился.

He got a rare tropical disease. — Он подхватил редкую тропическую болезнь.

2. Другие значения глагола TO GET

3) следующее значение — «понимать; улавливать смысл»:

I didn't get the joke. — Я не понял эту шутку.

I didn't get the last sentence. — Я не уловил последнее предложение.

You got me wrong. — Вы меня неправильно поняли.

I want to get it clear – yes or no? — Я хочу ясно понять: да или нет?

Do you get what I mean? — Понимаешь, что я имею в виду?

Oh, yeah, now I got the message. — Ну да, теперь я все понял (до меня дошло).

4) Следующее значение относится к перемещению в пространстве – «добираться; попадать»:

Usually I get home by 7 o'clock. — Обычно я добираюсь домой к 7 часам.

Yesterday we got home late. — Вчера мы поздно пришли домой.

Can I get there by train? — Могу я добраться туда поездом?

5) Мы переходим к чрезвычайно важному значению глагола **to get**, которое нельзя передать одним словом: **to get** обозначает начало процесса, переход из одного состояния в другое. Посмотрите, как глагол **to get** действует в связке с прилагательным и как он контрастирует с глаголом **to be**:

to be angry (быть сердитым) – **to get angry** (рассердиться)

to be tired (быть усталым) – **to get tired** (уставать)

to be married (быть женатым/замужем) – **to get married** (жениться/выходить замуж)

He got sick, but soon he got well. — Он заболел, но скоро поправился.

We got wet in the rain. — Мы промокли под дождем.

Butter gets soft in a warm room. — Масло размягчается в тепле.

He went out and got drunk. — Он пошел и напился.

I got hungry. — Я проголодался.

She got lost in the woods. — Она заблудилась в лесу.

А теперь сделаем одно отступление. Как вы знаете, английская система глагольных времен позволяет не только показать хронологию событий, но и отметить, на какой стадии находится действие. Времена *Continuous* употребляются, когда действие продолжается, находится в развитии (процессе); времена *Perfect* указывают на результат, завершенность действия.

А как же показать, что действие только начинается? Специальной грамматической формы для этого нет, и данное значение глагола **to get** как бы заполняет эту брешь:

Get going! – Пошел! Марш! (начинай двигаться).

It's time for us to get going. — Нам пора двигаться.

When they get talking, it's hard to stop them. — Когда они начинают болтать, их трудно остановить.

При этом сам глагол **to get** может стоять в продолженном времени, чтобы акцентировать растянутость начала действия:

Your tea is getting cold. — Ваш чай начинает остывать.

You are getting fat, my friend. — Ты начинаешь полнеть, дружище.

It was getting dark. — Смеркалось.

3. Gotta Get Moving

Мы продолжаем разговор об основных значениях глагола **to get**. Одно из таких значений иначе как удивительным не назовешь: в форме *Present Perfect* (**have got**) этот глагол полностью эквивалентен глаголу **to have**:

I've got a friend. = I have a friend. — У меня есть друг.

Это значение издавна живет в английском языке, и всегда было разговорным, не вполне литературным. По поводу того, зачем нужно такое дублирование, можно сослаться на мнение знаменитого английского лексикографа Фаулера: возможно, все дело в привычке к сокращению (**I've** вместо **I have**; **he's** вместо **he has** или **he is**); без добавочного слова сокращенную форму трудно услышать и понять именно в устной речи.

Приведем несколько практических замечаний:

В американском варианте английского языка этот оборот не употребляется в прошедшем времени:

I've got two tickets now. — **I had two tickets yesterday.**

У глагола **to get** существует два варианта III-ей формы (причастия прошедшего времени) — **got** и **gotten**. Второе слово считается устаревшим; при этом, как ни странно, в Америке употребляются они оба, а в Англии — только первое.

В качестве эквивалента глагола **to have** употребляется только первое слово:

I've got a new car. = I have it. — У меня (есть) новая машина.

I've gotten a new car. = I've bought it. — Я приобрел ее.

Как известно, глагол **to have** сам имеет чрезвычайно важное второе значение (когда после него стоит частица **to**): **have to = must**:

I have to work. — Мне надо работать.

Так вот, оборот **I've got** дублирует **I have** в обоих его значениях:

I've got to go. — Мне надо идти.

Последняя конструкция употребляется настолько часто, что в языке образовалась слитная форма: **gotta = got to**; она встречается и в литературе для передачи разговорной речи. В быстрой речи звук [t] озвончается (становится звонким), и **gotta** звучит как [**gada**].

Вот первая строка из популярной песни Элтона Джона:

What do I gotta do to make you love me? — Что мне надо сделать, чтобы ты полюбила меня?

И еще одна деталь. В реальном разговоре местоимение может быть отброшено:

(I've) got to stay here. — (Мне) надо остаться здесь.

На месте второго глагола может также быть глагол **to get**. Тогда и получается необычный для нас оборот, который вынесен в заголовок:

Got to get moving. — Надо двигаться (т.е. пора идти). Так часто-то говорят, уходя из гостей.

Gotta get dressed. — Надо одеваться.

4. Сочетания глагола TO GET с предлогами

Следующее значение **to get** также необычно для нас — «добиться того, чтобы человек или предмет совершили нужное действие»:

Can you get your brother to help us? — Вы можете уговорить вашего брата помочь нам?

I can't get them to listen to me. — Я не могу убедить их выслушать меня.

I can't get this old radio to work. — Не могу заставить это старое радио работать.

We couldn't get the car started. — Мы не могли завести машину.

We finally got the firewood to burn. — Наконец нам удалось поджечь дрова.

She'll get him to do this work. — Она добьется того, чтобы он сделал эту работу.

Последнее из основных значений этого «необъятного» глагола — «поймать», «схватить»; «попадать в кого-то»:

Get him before he escapes. — Хватай его, пока он не убежал.

The bullet got him in the arm. — Пуля попала ему в руку.

Представьте себе, что полицейские ловят бандита. Тогда ликующий возглас: **"I got him!"** может означать две вещи:

a) Попался! Поймал! (если его ловят руками).

b) Готов! (если в него стреляют).

Это выражение характерно также для детских игр, что привело к образованию еще одной слитной разговорной формы:

I got you! = I gotcha! /ɑɪ ɡɑt∫ə/

There's no getting away. I gotcha! — Не убежишь (не вырвешься). Я тебя поймал!

Это выражение еще и в переносном смысле — «добраться до кого-то»; «брать за душу»:

I'll get you even if it takes the rest of my life. — Я до тебя доберусь, даже если на это уйдет остаток моей жизни.

You were lying, I got you there! — Ты врал, вот ты и попался!

This play really got me. — Эта пьеса захватила меня.

This song doesn't get me. — Эта песня меня не трогает.

It gets me how she treats him. — Меня задевает, как она с ним обращается.

His stupid remarks really get me. — Его дурацкие замечания меня достают (т.е. раздражают).

The mafia got him before the cops could protect him. — Мафия добралась до него, прежде чем полиция смогла его защитить.

Глагол **to get** образует много предложных сочетаний, большинство из которых к тому же многозначно. Рассмотрим наиболее важные из них:

to get along — ладить, уживаться с людьми

He didn't get along with his in-laws. — Он не ладил с родственниками своей жены.

to get away — ускользнуть, улизнуть

Can you get away from the office? — Ты можешь незаметно уйти с работы?

to get away with — оставаться безнаказанным

He shouldn't get away with it. — Это не должно сойти ему с рук.

to get into — попасть в

I can't get into the house. — Я не могу попасть в дом.

He got into trouble. — Он попал в неприятную историю (в беду).

He got her into trouble. — Он втянул ее в неприятную историю.

She got into debt. — Она влезла в долги.

to get out — выбираться откуда-либо, из какой-либо ситуации (этот оборот очень популярен в молодежном жаргоне):

Get out of here! — Убирайся отсюда!

We gotta get out of here. — Нам надо сматываться отсюда.

Приведем также одну характерную идиому:

You are getting on my nerves. — Ты действуешь мне на нервы.

Когда пишешь о глаголе **to get**, за примерами далеко ходить не надо. Достаточно включить телевизор, и можно сразу услышать, как один герой фильма говорит другому:

You got me into this mess, so you've got to get me out of it. — Ты втянул меня в эту заваруху, значит, ты должен меня из нее вытащить.

Section 1

Opening a bank account / Открытие счета в банке

Words

bank account	банковский счет
bank fee	комиссия за банковские операции
checking account	чековый счет
savings account	сберегательный счет
temporary checkbook	временная чековая книжка (обычно дается при открытии счета — персональная чековая книжка прибывает примерно через неделю)
ID = identification document	документ, удостоверяющий личность
cash deposit	вклад, сделанный наличными (а не чеком)
bank branch	отделение (филиал) банка
account number	номер счета
money transfer	денежный перевод
bank (account) statement	выписка по счету, баланс
routing number	цифровой код банка

Expressions

to open an account	открыть счет
to close an account	закрыть счёт
to allow access to personal information	предоставить доступ к личным сведениям
to have a reputation for stability	иметь надежную репутацию
to make a deposit	положить деньги на счет
to make a withdrawal (to withdraw)	взять деньги со счета
to earn interest	заработать проценты
to wave a fee	не взимать (отменить) комиссию
to write a check	выписать чек
Your check cleared.	Платеж по вашему чеку прошел.
Your check bounced.	Платеж по вашему чеку не прошел.
to write a bad check	выписать необеспеченный чек
to order a check book	заказать чековую книжку
to accumulate interest	наращивать проценты
to endorse a check	заверить чек подписью

Dialogue

Opening a bank account

— My son wants to open a bank account here. Can you help us?
— Certainly. What kind of an account do you want to open - checking or savings?
— How about an interest bearing checking account? With that, you can write a check for a bike, while the rest of the money earns interest.
— That sounds great! Are there any fees for writing checks?
— No, as long as you have at least five hundred dollars in the account. In this case, all the service fees are waved.
— Is there an account that doesn't require him to keep so much money in it?
— You can choose a regular checking account. You will not earn any interest, and you should maintain a minimum of one hundred dollars in the account.

Как открыть счет в банке

— Мой сын хочет открыть у вас банковский счет. Вы можете нам помочь?
— Конечно. Какой счет вы хотели бы открыть — чековый или сберегательный?
— Как насчет чекового счета с процентами? Имея его, вы можете выписать чек на велосипед, в то время как оставшаяся сумма будет приносить проценты.
— Звучит заманчиво! А за выписку чека нужно платить?
— Нет, пока на вашем счету есть по меньшей мере пятьсот долларов. В этом случае комиссия не взимается.
— А есть счет, на котором не нужно держать такую крупную сумму?
— Вы можете выбрать обычный чековый счет. Вы не будете получать проценты, и вам надо будет держать на нем минимум сто долларов.

Section 2

Investments / Инвестиции

Words

to invest	вкладывать деньги
stocks	акции

government bonds	правительственные облигации
mutual funds	паевые инвестиционные фонды
stock exchange	фондовая биржа (как учреждение)
stock market	фондовый рынок
stockholder	акционер
high-risk investment	инвестиции с высоким риском
high-profit stocks	высокоприбыльные акции
pension plan	пенсионный план/счет
IRA = Individual Retirement Account	сберегательный пенсионный счет (с отсроченным налогообложением)
investment portfolio	портфель ценных бумаг

Expressions

bull market	рынок с тенденциями к повышению курсов акций
bear market	рынок с тенденциями к снижению курсов акций
blue chips	голубые фишки (стабильные, выгодные акции крупных компаний)
to play the stock market	играть на бирже
discount broker	агент, работающий на низких комиссионных
It's a sure thing.	Это точно./ На это можно рассчитывать.
to separate fact from fiction	отделить факт от выдумки
greenbacks = dough = loot	бабки (сленговые названия денег)
cabbage	бумажные деньги
cash flow	денежные поступления
cold hard cash	наличные
He has money to burn.	Ему деньги некуда девать.

Dialogue

Investments

- I just got a raise, and I want to invest part of my salary.
- You came to the right place. Our company specializes in helping people to build up their nest egg.
- It's been a bull market lately; I'd like to invest in high-profit stocks.
- The market situation looks unstable to me. High-profit stocks are high-risk investments.
- They say it's not good to put all eggs in one basket. Mutual funds, perhaps?

— It's a good idea. Did you start thinking about your pension plan yet?

— Not really. What do you think, will it help my tax situation?

— Definitely. But we have to come up with a strategy that will suit you the most.

Вложение денег (инвестиции)

— Я только что получил прибавку к зарплате и хотел бы инвестировать часть зарплаты.

— Вы пришли в правильное место. Наша компания специализируется на том, чтобы помогать людям сколотить капитал.

— В последнее время акции все время росли, и я бы хотел вложить деньги в высокоприбыльные акции.

— Мне кажется, ситуация на бирже сейчас нестабильная. Инвестирование в высокоприбыльные акции сопряжено с большим риском.

— Говорят, нехорошо класть все яйца в одну корзину. Может быть, стоит подумать о взаимных фондах?

— Это хорошая мысль. Вы уже начали думать о своем пенсионном счете?

— Пока нет. Как вы думаете, это улучшит мое положение в плане налогов?

— Определенно. Но мы должны выработать стратегию, которая вам больше всего подходит.

Section 3

Bank loans/Mortgages / Банковские займы/Ссуды

Words

interest rate	процентная ставка
pre-approved mortgage	одобренная банком ипотека
income stability	стабильность дохода
downpayment	первый обязательный взнос при получении займа
loan principal	сумма долга без учета процентов
home equity loan	«второй моргидж», дополнительный заем под гарантию уже имеющегося дома
lending institution	организация, выдающая заем
favorable loan	выгодный заем

loan broker	агент, специализирующийся на займах
good neighborhood	хороший район
proof of residence	справка о месте жительства

Expressions

to apply for a loan	подать заявление на заем
to pay down (a loan, debt, bill)	выплатить часть требуемой суммы
to pay off (a loan, debt, bill)	выплатить требуемую сумму полностью
mortgage term	срок выплаты ссуды
refinancing your mortgage	рефинансирование вашей ссуды
monthly mortgage payment	месячная сумма выплат по ссуде
mortgage commitment	договоренность о выдаче ссуды
lock-in rate	зафиксированная процентная ставка
fixed-rate loan	заем с постоянным процентом
adjustable-rate loan	заем с переменным процентом
loan payment schedule	график выплаты долга
I can't afford a higher loan.	Я не могу позволить себе взять больший заем.
to get your credit in shape	привести в порядок ваш кредит
amount deducted from your pay	деньги, вычтенные из вашей зарплаты

Dialogue

Bank loans/Mortgages

- I'm interested in getting a mortgage through your bank.
- Very good. Do you have an idea of how much you want to borrow?
- It depends on how much I need to put down in order to get a good interest rate.
- You have to make a decision regarding the duration of your mortgage first.
- Can you tell me in more detail about the options that I have?
- In general, the shorter the mortgage, the lower rate you will have. But, of course, your monthly payment will increase.
- You know what, I have just recently paid off my debt, and I don't want any more stress.
- It's up to you. Here are some papers you need to fill out. Feel free to ask me any questions you may have.

Банковские займы/ссуды под недвижимость

- Я бы хотел получить ссуду на недвижимость через ваш банк.
- Очень хорошо. Вы примерно представляете, сколько вы хотите занять?
- Это зависит от того, какой первый взнос нужен для получения хорошего процента.
- Вам сначала надо принять решение о сроке вашей ссуды.
- Не могли бы Вы рассказать мне поподробнее, какие у меня есть варианты?
- В общих чертах, чем короче срок, на который выдается ссуда, тем ниже будет процент. Но, конечно, ежемесячные выплаты при этом вырастут.
- Знаете что, я только недавно выплатил кредит, и не хочу больше никакого стресса.
- Решайте сами. Вот бумаги, которые вам надо заполнить. Не стесняйтесь задавать вопросы, если они у вас возникнут.

Section 4

Taxes / Налоги

Words

tax shelter	налоговая ниша, средство уменьшения налогов
tax bracket	налоговая категория (формула, по которой вычитают налоги в зависимости от дохода)
tax cuts	снижение налогов
sin tax	налог на «грех» (сигареты, спиртное, и т. д.)
excise tax	акцизный налог
income tax	подоходный налог
property tax	налог на имущество
tax forms	налоговые формы
tax credit	налоговая льгота
tax deduction	налоговый вычет
tax exemption	освобождение от налогов
tax legislation	налоговое законодательство
tax code	налоговый кодекс
tax-free	не облагаемый налогом

Expressions

to make money	зарабатывать, делать деньги
to file a quarterly tax return	подать квартальный отчет о налогах
to file a yearly tax return	подать налоговую декларацию за год
tax planning	планирование (своей жизни и финансов) с точки зрения налогов
pre-tax dollars	деньги, подсчитанные до вычета налогов
after-tax dollars	деньги, подсчитанные после вычета налогов
gross income	«грязный» доход
net income	«чистый» доход
IOU = I owe you	долговая расписка
account balance	остаток денег на счете
interest bearing account	счет, приносящий проценты
electronic banking	автоматические банковские операции
on-line banking	банковские операции, осуществляемые через интернет
overdraft protection	банковская услуга по покрытию необеспеченного чека, защита от овердрафта (превышения кредита/остатка счета)
maintenance fee	комиссия за ведение счета
to build a nest-egg	накапливать сбережения (досл. «яичко в гнездышке»)
sawbuck	десятидолларовая купюра
It costs 5K. = 5G = 5 grand.	Это стоит 5 штук (тысяч).
equity	разница между активами и текущими обязательствами
credit history	кредитная история
credit rating	оценка кредитоспособности
booming real estate market	процветающий рынок недвижимости
Uncle Sam is certainly getting his share.	Дяде Сэму свое-то всегда перепадет... (Дядя Сэм — американское государство)

Dialogue

Taxes

— I make a lot more money after my last promotion — but I discovered that it makes little difference in our income.

- It's all because of taxes. After your last salary increase we ended up in the higher tax bracket.
- It's a good thing we started our pension plan last year. The money in that account does not get taxed until we use it.
- It does us no good right now, unfortunately.
- It will when we retire. Thank God we have it. Hopefully, we'll be able to maintain the same style of life when we retire.
- Maybe you are right. I just wish we paid less taxes.
- Let's go to a financial consultant to get a piece of advice.
- It's a great idea! In our situation such an advice will come in really handy.

Налоги

- После повышения я стал зарабатывать намного больше, но не почувствовал заметной разницы в нашем доходе.
- Все дело в налогах. После твоего последнего повышения зарплаты мы попали в более высокую налоговую категорию.
- Хорошо, что мы открыли пенсионный счет в прошлом году. Деньги на этом счету не облагаются налогом, пока мы не начнем использовать их.
- К сожалению, сейчас от них нет никакого толку.
- Когда выйдем на пенсию, тогда и будет толк. Слава Богу, что они у нас есть. Есть надежда, что мы сможем сохранить прежний стиль жизни, когда выйдем на пенсию.
- Возможно, ты прав. Просто хотелось бы платить меньше налогов.
- Давай сходим к финансовому консультанту, чтобы получить совет.
- Прекрасная идея! В нашей ситуации такой совет очень пригодится.

Exercises

Упражнение 1
Вставьте пропущенный глагол.

A. I want to ___ my money.
   (*get, put, invest, make*)

B. How long do you plan to ___ your mortgage?
   (*clear, put, balance, keep*)

C. I ___ taxes to the government.
(*put, invest, balance, owe*)

D. How much financial risk can you ___?
(*forget, accept, invest, prepare*)

E. When do you ___ the money back?
(*invest, pay, make, find*)

Упражнение 2

Вставьте пропущенное слово.

A. I want to get a ___ mortgage.
(*fixed-rate, approved, loan, house*)

B. I have to pay the ___ tax on my house.
(*income, cheap, property, expensive*)

C. To reduce my taxes, I want to start a ___ plan.
(*checking, saving, new, pension*)

D. Avoid a mortgage that has ___ penalty.
(*house, prepayment, investment, property*)

E. To pay for my bike, I want to write a ___.
(*account, statement, checkbook, check*)

Упражнение 3

Вставьте пропущенный предлог.

A. I want to open an account ___ your bank.
(*on, to, at, in*)

B. I pay my taxes ___ the end of the year.
(*at, on, for, with*)

C. I invest by putting money ___ stocks.
(*with, on, into, at*)

D. I borrowed money ___ the bank.
(*from, for, on, in*)

E. Who is going to pay ___ it all?
(*at, on, for, with*)

Упражнение 4

Выберите нужное слово в каждом предложении.

A. I want to ___ a savings account.
   (*open, start, balance, discover*)

B. The Government is supposed to ___ the budget.
   (*open, start, balance, discover*)

C. You need to ___ the laws of the financial market.
   (*open, start, balance, discover*)

D. You have to ___ paying your taxes as soon as you begin to work.
   (*open, start, balance, discover*)

E. Stop wasting money and ___ saving.
   (*open, start, balance, discover*)

Упражнение 5

Сделайте предложение вопросительным.

A. He will open a checking account.

_____

B. He invests in stocks.

_____

C. He tried to take out a loan.

_____

D. My mother owns some stocks.

_____

E. I owe taxes for this year.

_____

Упражнение 6

Вставьте пропущенный предлог.

A. He is good ___ saving money.
   (*on, to, at, in*)

B. Let's meet ___ the bank.
   (*at, on, for, with*)

C. A lot of people keep their money ___ the bank.
   (*with, on, in, at*)

D. This idea was wrong ___ the very beginning. (*from, for, on, in*)

E. Now everything depends ___ you? (*at, on, for, with*)

Упражнение 7
Сделайте предложение вопросительным.

A. He invested his money wisely.

_____

B. His broker let him down.

_____

C. She got a good interest rate.

_____

D. Our taxes ate us alive last year.

_____

E. It has been a bear market lately.

Упражнение 8
Сделайте предложение отрицательным.
Употребите краткую отрицательную форму глагола.

A. You were right when you sold those stocks.

_____

B. He enjoys playing the market.

_____

C. My friend has been very successful.

_____

D. He has to pay his creditors.

_____

E. I can afford to gamble with my money.

_____

Phonetics

Длительность звука [i]

Совершенно необходимо различать длинный звук [i :] и короткий звук [ɪ] — они обозначают разные слова.

beat [bi: t] — bit [bɪt]

bean [bi :n] — bin [bɪn]

bead [bi:d] — bid [bɪd]

eat [i: t] — it [ɪ t]

heat [hi: t] — hit [hɪ t]

lead [li: d] — lid [l ɪd]

peak [pi:k] — pick [pɪk]

meal [mi: l] — mill [mɪl]

peach [pi:tʃ] — pitch [pɪtʃ]

leap [li: p] — lip [lɪp]

reach [ri: tʃ] — rich [r ɪtʃ]

least [l i: st] — list [lɪst]

each [i: tʃ] — itch [ɪtʃ]

seat [si: t] — sit [s ɪt]

feel [fi : l] — fill [fɪl]

deed [d i:d] — did [dɪd]

green [gri: n] — grin [gr ɪn]

feet [f i: t] — fit [fɪt]

seek [si :k] — sick [sɪk]

sleep [sli: p] — slip [slɪp]

Let's Practice

Переведите с русского на английский. Потом сверьте свой вариант с ответом на обороте страницы.

Opening a bank account / Открытие счета в банке

1. Какой счет вы хотели бы открыть?

2. Сколько денег вы хотели бы положить на счет?

3. Какой процент вы даете на сберегательных счетах?

4. Я выберу банк, где мои деньги будут застрахованы.

Investments / Инвестиции

5. Вы должны отложить деньги на эти расходы.

6. Давайте подождем, пока упадет процентная ставка.

7. Мне кажется, рынок выглядит стабильно.

8. Эта компания помогает людям выгодно вкладывать деньги.

Bank loans/Mortgages / Банковские займы/Ссуды

9. Для того чтобы купить дом, вам нужно взять заем.

10. Эта процентная ставка слишком высока, я не могу себе такого позволить.

11. Я беру заем на десять лет.

12. Наша цель – помочь вам принять правильные финансовые решения.

Taxes / Налоги

13. Налоги повышаются с повышением зарплаты.

14. Законы о налогах часто меняются.

15. Я потерял все свои сбережения на рискованных сделках.

16. Финансовый консультант поможет вам выбраться из долгов.

Проверьте себя

Opening a bank account / Открытие счета в банке

1. What kind of account would you like to open?
2. How much would you like to deposit?
3. What interest rate do you offer on your savings accounts?
4. I will choose a bank, where my money is insured.

Investments / Инвестиции

5. You need to set money aside for these expenses.
6. Let's wait for interest rates to drop.
7. It seems to me that the market looks stable.
8. This company helps people invest profitably.

Bank loans/Mortgages / Банковские займы/Ссуды

9. To buy a house, you need to take out a loan.
10. This interest rate is too high — I can't afford it.
11. I am taking out a ten-year loan.
12. Our goal is to help you make correct financial decisions.

Taxes / Налоги

13. The taxes increase as the salary goes up.
14. Tax laws often change.
15. I lost all my savings in high-risk deals.
16. A financial adviser will help you get out of debt.

Job Hunting
Поиск работы

Let's Study

1. О третьей форме глагола

Попробуйте перевести следующую фразу: **He was seen with her.**
Если бы мне предложили моментально определить, усвоил ли человек начальный уровень английской грамматики, я бы задал ему этот вопрос. Запомните свой ответ, и мы двинемся дальше.

«Он побил многих мальчишек, но однажды и сам был побит.» Один и тот же русский глагол употреблен здесь сначала в активном залоге, а затем в пассивном. Активный или пассивный залог характеризует направленность действия относительно субъекта этого самого действия: он бил или его били. Большинство ситуаций можно рассматривать с этих двух позиций, поэтому любое грамматическое время, как правило, имеет формы и активного и пассивного залогов.

Пассивный залог в английском языке образуется на основе III-ей формы глагола (это одна из ее основных функций, о ней мы и поговорим в этой главе).

Также на основе III-ей формы строятся времена группы *Perfect* (эту тему мы здесь не будем затрагивать). Но, кроме того, III-я форма употребляется и самостоятельно как причастие прошедшего времени (*Past Participle*).

При изучении языка эта последняя функция оказывается как бы «в тени» двух названных грамматических тем и часто остается незамеченной. На самом же деле это — один из ключевых моментов английской грамматики; *Past Participle* употребляется очень часто (а в научно-технической литературе — практически на каждом шагу). Самое важное в нем то, что оно отражает пассивный характер действия; в русской грамматике это называется страдательным причастием прошедшего времени:

done — сделанный (в отличие от «сделавший»);

written — написанный;

seen — увиденный;

heard — услышанный;

taken — взятый.

Такое причастие, находясь перед существительным, служит определением:

closed door — закрытая дверь;

broken window — разбитое окно;

recorded talk — записанный разговор.

Оно также может быть частью более развернутого оборота:

the work finished yesterday — работа, законченная вчера;

a coin found under the table — монета, найденная под столом;

road less traveled — дорога, по которой меньше ходили; «непроторенный путь»;

"Lost and found" — «Бюро находок» (досл. — потерянное и найденное)

Deeply shocked, he went out. — Он вышел, глубоко потрясенный.

Left by his friends, he lives alone. — Он живет один, покинутый своими друзьями.

К третьей форме могут «пристраиваться» многие существительные, например:

man-made materials — изготовленные человеком (т. е. искусственные) материалы;

handmade bicycle — изготовленный вручную велосипед;

sugar-coated pill — покрытая сахаром таблетка; таблетка в сахарной оболочке;

или несколько наречий («хорошо», «плохо» — качество действия):

well-known actor — хорошо известный актер;

badly-built house — плохо построенный дом;

half-done work — наполовину сделанная работа.

Отметьте, что «страдательный смысл» является «ключиком» к каждому такому выражению.

2. О пассивном залоге

А теперь вернемся к пассивному залогу.

The house was built in 3 years.

В русском языке этой фразе могут соответствовать три перевода:

а) Дом был построен за 3 года.

б) Дом строился 3 года.

в) Дом строили 3 года.

Повторим — общая идея пассива в том, что говорящего интересует не субъект действия, а его объект. В русском языке есть несколько способов выразить эту мысль, а в английском — только один. Возможно, по этой причине в английском языке так часто используются пассивные конструкции, а на русский их нередко переводят другими оборотами (в основном, неопределенно-личным).

The boy was beaten. — Этого мальчика побили.

His car was stolen. — Его машину украли.

The game was lost. — Игра была проиграна.

Чтобы закрепить сказанное, сопоставим значение II-ой и III-ей форм (у них разная направленность действия — актив и пассив).

He told me about you. — Он говорил мне о вас.

He was told to go home. — Ему велели идти домой.

I spoke with him. — Я говорил с ним.

English is spoken in many countries. — По-английски говорят во многих странах.

He saw her. — Он видел ее.

He was seen with her. — Его видели с ней.

Заметим, что предложение в пассивном залоге иногда сообщает, кто совершил действие, а иногда — нет:

Peter was praised for his work. — Питера похвалили за его работу.

Peter was praised by his teacher. — Питера похвалил учитель.

Предлог **by** показывает, кем было совершено действие, а **with** — чем:

This letter was written by Mark Twain. — Это письмо было написано Марком Твеном.

This letter was written with a pencil. — Это письмо было написано карандашом.

Интересно, что в некоторых ситуациях (например, на вывесках) пассивный залог появляется в «урезанном», «укороченном» виде, но суть его остается неизменной:

Keys made. — (Здесь) изготовляются ключи.

Checks cashed. — (Здесь) обналичивают чеки.

Prescriptions filled. — (Здесь) выдаются лекарства, выписанные по рецепту (досл. — здесь наполняются рецепты).

Иногда III-ю форму глагола путают с **-ing**-формой — это распространенная ошибка, старайтесь ее избегать. Мы приведем три самых распространенных примера:

I'm so excited about it. — Я так взволнован этим.

The movie is exciting. — Этот фильм захватывающий (волнующий).

You can take everything, including the dishes. — Берите все, включая посуду.

Your bill is paid in full, everything is included. — Ваш счет полностью оплачен, все включено.

И, наконец, последняя пара — **to be interesting** и **to be interested**:

Your idea is interesting, but I'm not interested in this job. — Ваша идея интересна, но я не заинтересован в этой работе.

Не забывайте, что в обеих конструкциях, включенных в последнюю пару, задействован глагол **to be**, и, следовательно, вспомогательный глагол **to do** здесь появляться не может.

Was this show interesting for you? — Not at all. — Вам было интересно это шоу? — Ни капельки.

Are you interested in this proposal? — Unfortunately, I'm not. — Вас заинтересовало это предложение? — К сожалению, нет.

3. Слова SPEAK, SAY

Теперь давайте обсудим, как переводить на английский два очень важных и, казалось бы, несложных русских слова «сказать» и «говорить». Дело в том, что значения этих слов переплелись между собой, прямо-таки клубком. Аналогичная группа слов в английском языке вызывает еще большую путаницу. Чтобы разобраться, давайте разложим все по полочкам. Надо отметить, что неточное употребление этих слов очень типично для начинающих и, как говорится, выдает их с головой.

Итак, есть четыре английских слова, близких по смыслу: **to speak**, **to say**, **to tell**, **to talk**.

Первая пара: **to speak, to say** — «произносить слова», «говорить».

to speak отражает сам факт речи, а не ее содержание:

Dogs cannot speak. — Собаки не могут говорить.

I can speak English. — Я говорю по-английски.

Speak louder! — Говорите громче.

to say передает сказанное (т.е. какие сказаны слова):

Don't forget to say "thank you". — Не забудь сказать «спасибо».

Вот ситуация — у больного что-то с челюстью, вы врач:

Try to speak! Say "yes". — Попробуй говорить! Скажи «да».

Прямую речь передает глагол **to say**.

"I am here," she says. — «Я здесь.» — говорит она.

"Look at me," she said. — «Посмотри на меня.» — сказала она.

И, наконец, несколько оборотов, присущих только глаголу **to say**:

I said it to myself. — Я сказал это про себя. (т.е. не вслух)

I must say that you are wrong. — Должен сказать, что вы неправы.

He is, so to say, our assistant. — Он наш, так сказать, помощник.

Choose a number — say, twelve. — Выберите число, скажем, двенадцать.

4. Слова SAY, TELL

Вторая пара: **to say, to tell**; с ней связано наибольшее количество ошибок.

to tell – «сообщать (информацию)», «рассказывать»;

Don't tell your mother about it. — Не говорите своей матери об этом.

You promised not to tell. — Вы обещали не рассказывать (не болтать).

Вот пример, подчеркивающий различие:

I can tell you what she said. — Я могу сказать тебе, что она сказала (т.е. сообщить тебе, какие слова она произнесла).

Употребление таких запутанных слов не укладывается в общее правило, однако, некоторые закономерности просматриваются четко: сказанные слова передаются только глаголом **to say**; а команды — только **to tell**:

He said, "Open the door." — He told me to open the door. — Он сказал: «Открой окно.» — Он велел (сказал) мне открыть окно.

The teacher told us to go home. — Учитель велел (сказал) нам идти домой.

Кроме описанной выше разницы значений, эти слова по-разному сочетаются с последующим дополнением — в этом и есть причина бесконечных ошибок. Вот предельно упрощенный образец их употребления, который необходимо запомнить:

Say what? — Tell whom? — Говорить что? — Сказать кому?

She said that. She said that to me. She told me about it. — Она сказала это. Она сказала это мне. Она рассказала мне об этом.

И еще, выражение «сказать, что» всегда переводится как **say that**, а связка **tell** that невозможна. Еще один чисто практический совет: не употребляйте **to tell** без последующего дополнения (кому?). Вот образцы:

What did she say? What did she tell you? — Что она сказала? Что она вам сказала?

What do you want to say? What do you want to tell him? — Что вы хотите сказать? Что вы хотите сказать ему?

Давайте переведем несколько фраз с русского на английский.

Скажите мне, где вы живёте. — **Tell me where you live.**

Он сказал несколько слов и вышел. — **He said a few words and went out.**

Вы поняли, что он сказал? — **Did you understand what he said?**

Вы придёте? — Трудно сказать. — **Are you coming? — It's hard to say.**

Никогда не говори «нет» начальнику. — **Never say "no" to your boss.**

Никогда не говори начальнику о ней. — **Never tell your boss about her.**

Таким образом, перед нами очень необычная ситуация — выбор глагола определяется тем, что стоит после него: сказать (говорить) кому? — **to tell**; сказать (говорить) что? (или вообще без дополнения) — **to say**.

5. Слова TELL, TALK

Третья пара: **to tell, to talk**

Приведём несколько устойчивых оборотов с глаголом **to tell**:

to tell the truth — говорить правду;

to tell a lie — говорить неправду;

to tell a joke — рассказать анекдот;

When in doubt, tell the truth. (Mark Twain). — Когда сомневаешься, говори правду.

to tell the difference — определять разницу; отличать

These boys are twins; how do you tell one from another? — Эти мальчики — близнецы; как вы отличаете одного от другого?

May be he is right; time will tell. — Возможно, он прав; время покажет.

I told you so! — Я же тебе говорил!

У этого глагола есть ещё одно более необычное значение:

to tell on someone — выдавать неприятные сведения о ком-то; ябедничать:

Don't tell on your sister! — Не ябедничай на свою сестру!

I'll tell my mom on you. — Я пожалуюсь на тебя маме.

I won't tell on you. — Я тебя не выдам.

Мужайтесь, ещё остался четвёртый глагол, и без него никак не обойтись:

to talk — «беседовать», «разговаривать», «общаться».

We can talk all day. — Мы можем говорить весь день.

When they start talking it's hard to stop them. — Когда они начинают болтать, их трудно остановить.

Stop talking! – Перестаньте разговаривать!

Отметим, что слово **talk** часто выступает в роли существительного:

talk – разговор, беседа; **talks** – переговоры

baby talk – детский лепет

small talk – разговор о пустяках, на обыденные темы

It's just talk! – Это все слова (пустой разговор)!

walkie-talkie – портативная рация («ходилка-говорилка»).

И еще одно сочетание стало необычайно популярным:

talk-show – ток-шоу

Вдобавок к этому, глагол **to talk** «застолбил» два конкретных выражения:

О чем вы говорите? – **What are you talking about?**

Вам нужно поговорить со своим врачом. – **You should talk to your doctor.**

Вообще же, когда двое людей говорят между собой (в том числе и по телефону), они могут употреблять и **to talk**, и **to speak**; второй глагол звучит чуть более вежливо:

I want to speak to Mr. Clark. – Я хочу поговорить с мистером Кларком.

Трудные слова, но что делать. Говорить-то хочется. И так много надо сказать.

Section 1

Help wanted ads / Объявления о найме на работу

Words

Classifieds (section of a newspaper) = = classified ads	Объявления (раздел в газете, где публикуют объявления о работе, покупке и съеме жилья и т.д.; сюда не входят рекламные объявления)
full-time employment (F/T)	работа на полную ставку, полная занятость
part-time employment (P/T)	работа по совместительству, частичная занятость
job market	рынок труда
employment opportunities	возможности трудоустройства
job requirements	требования, предъявляемые к работнику
relocation packages	оплата переезда к месту новой работы
facility	служебное помещение

branch manager	менеджер отделения
supervisor	руководитель, ответственный за определенный участок работы
job opening	вакансия
immediate opening	срочная вакансия
per hr pay	почасовая оплата
salary (per year salary)	зарплата (годовая зарплата)
entry level position	стартовая (самая начальная) должность
over-time	сверхурочные
starting pay	начальная зарплата
pay and benefits	зарплата и дополнительные льготы, компенсации, соцпакеты
previous experience	предыдущий опыт
human resources	отдел кадров
project duration	длительность проекта
overqualified	чрезмерно квалифицированный для данной должности
computer literate	свободно владеющий компьютером
federal agency	государственная служба, орган
head-hunter	«охотник за головами», рекрутер
employment agency	агентство по трудоустройству
self-employment	работа на самого себя
temporary employment	временная работа
temporary positions	временные должности
volunteering	волонтерство, добровольная работа без оплаты
feedback	обратная связь
systems analyst	системный аналитик
manufacturing plant	производственное предприятие

Expressions

45K salary (K = 1,000)	зарплата 45 тысяч (в год)
to submit a resume	прислать резюме
desired salary	желаемая зарплата
responsibilities include	в обязанности входит
detail oriented	ориентированный на детали
All shifts available.	Возможны все рабочие смены.
Company seeks individuals with a minimum of two years experience.	Компания ищет работника с опытом работы не менее двух лет.

Applicant must write well and have good communication skills.	Претендент должен хорошо излагать мысли на бумаге и уметь общаться с людьми.
Sales experience (is) a plus.	Желательно с опытом работы по продажам.
must have PC skills= must be computer literate	должен уметь работать на компьютере
For an application and interview send resumes to the following address.	Чтобы получить анкеты и назначить интервью, пришлите резюме по следующему адресу.
Major corporation needs reliable candidates.	Крупной корпорации нужны надежные работники.
Company is looking to staff new openings.	Компания ищет людей на новые вакансии.
When you are looking for a job, timing is everything.	При поиске работы крайне важен выбор времени.

Dialogue

Help wanted ads

— I have been looking through the classifieds for three days, and I can't find anything.

— There is an ad about an opening at a bookstore.

— What's the position?

— Sales clerk.

— Don't you think I am a little overqualified for the job?

— Yes, but it is important that you start making some money right now. You can always look for something better later.

— But how will I look for something better if I am working full time?

— This bookstore is open from 9 a.m. to 9 p.m. You can get a couple of evening shifts and go to interviews during the day.

Объявления о найме на работу

— Я смотрю объявления о работе в газете в течение 3 дней, и ничего не нашел.

— Есть объявление о вакансии в книжном магазине.

— Что за должность?

— Продавец.

— Ты не думаешь, что я слишком квалифицирован для этой работы?

— Да, но важно, что ты начнешь зарабатывать деньги прямо сейчас. Ты всегда можешь поискать что-нибудь получше потом.

— Но как я буду искать что-нибудь получше, если я буду работать весь день?

— Этот книжный магазин работает с 9 утра до 9 вечера. Ты можешь взять пару вечерних смен и сходить на интервью в течение дня.

Section 2

Resume / Резюме

Words

job experience	опыт работы
objective	желаемая работа, цель
heading	шапка письма или резюме
cover letter	сопроводительное письмо
stationary	писчебумажные принадлежности, канцтовары
education	образование
applicant	претендент (на работу, должность)
references	рекомендации
networking	сеть профессиональных контактов
professional accomplishments	профессиональные достижения
chronological format	хронологический порядок

Expressions

to develop a job-seeking strategy	выработать стратегию поиска работы
This resume will get me a job.	Это резюме обеспечит мне работу.
To have a resume is a must.	Иметь резюме совершенно необходимо.
Never mail your resume without a cover letter.	Никогда не отправляйте свое резюме без сопроводительного письма.
You will need quality stationary for both resumes and cover letters.	И резюме, и сопроводительное письмо должны быть на бумаге высшего качества.
This is a business letter and it should look businesslike.	Это деловое письмо, и оно должно выглядеть по-деловому.
Photocopied resumes are not appropriate.	Ксерокопии резюме не подходят.
Don't type it in italics.	Не печатай это курсивом.
A winning resume is error free.	Успешное резюме должно быть без ошибок.

You have to stand out in the crowd.	Вы должны не потеряться среди других (соискателей).
List your achievements, beginning with the most recent.	Перечислите ваши достижения, начиная с самых последних.

Dialogue

Resume

— Now let us think about how you are going to present yourself to your potential employer.

— I am going to rewrite my resume a little, placing more emphasis on my experience with books.

— I can tell you, going to the interviews will improve your job-hunting skills.

— In the meantime, let us think about getting a better job.

— You should find out everything you can about the company of your choice, and tailor your resume and cover letter accordingly.

— I could get a lot of information from the Internet and from the ad itself. But I am a little confused about the cover letter.

— The cover letter should explain why you are interested in this company specifically, and briefly outline your qualifications for the job.

— Thank you very much for your help and advice.

Резюме

— Теперь давай подумаем, как ты себя подашь потенциальному работодателю.

— Я собираюсь немного переписать свое резюме, сделав упор на мой опыт работы с книгами.

— Могу тебе сказать, что прохождение собеседования улучшит твои навыки поиска работы.

— Тем временем давай подумаем, как получить работу получше.

— Ты должен выяснить все относительно компании, которую ты выбрал, и соответственно отредактировать свое резюме.

— Я могу получить достаточно много информации из Интернета, да и из самого объявления тоже. Но меня немного смущает сопроводительное письмо.

— Сопроводительное письмо должно объяснять, почему ты интересуешься именно этой компанией, и в общих чертах описать твою квалификацию.

— Большое спасибо за твою помощь и советы.

Section 3

Interview / Собеседование

Words

punctuality	пунктуальность
confidence	уверенность в себе
age discrimination	дискриминация по возрасту
appearance	вид; внешний вид
experience	опыт
growth possibilities	возможности роста
follow-up letter (call)	повторное письмо (звонок), чтобы проследить, как движется дело
job environment	обстановка на работе
letter of recommendation	рекомендательное письмо
college transcript	выписка из документа о высшем образовании
offer	предложение
skills	навыки
your strengths and weaknesses	ваши сильные и слабые стороны
flexible hours	гибкий график работы
team work	работа в команде
reimbursement	возмещение расходов
tuition reimbursement	оплата обучения
competitive wages	конкурентоспособная зарплата (не меньше, чем предлагают другие работодатели)

Expressions

Speak clearly and politely.	Говорите ясно и вежливо.
Try to make eye contact.	Старайтесь встретиться взглядом с собеседником.
If in doubt — ask.	Если сомневаетесь, спросите.
The first impression is very important.	Первое впечатление очень важно.
If you're going to be more than a few minutes late, call them.	Позвоните им, если будете опаздывать больше, чем на несколько минут.
Always look the interviewer in the eye(s).	Всегда смотрите в глаза тому, кто проводит собеседование.
Do not dress gaudy for the interview.	Не одевайтесь кричаще (слишком ярко) на интервью.

Let them bring up the subject of money.	Пусть они сами заведут разговор о деньгах.
How long has this position been open?	Как давно открыта эта вакансия?
Are any current company employees applying for this position?	Претендует ли на эту должность кто-нибудь из сотрудников компании?
When will you make your decision?	Когда вы примете решение?
Who has the final say?	За кем последнее слово?
What type of work are you looking for?	Какого рода работу вы ищете?
Why haven't you found a position yet?	Почему вы еще не нашли себе работу?
Tell me about problems you've solved on the job.	Расскажите мне о проблемах, которые вам удалось решить на этой работе.
What new skills have you acquired on the job?	Какие новые навыки вы приобрели на этой работе?
Are you willing to relocate?	Согласны ли вы на переезд?
Can you work long hours?	Можете ли вы подолгу задерживаться на работе?
Tell me about the biggest success you have had at work.	Расскажите мне о самом большом достижении в вашей работе.
I have in-depth experience in this field.	У меня огромный опыт работы в этой области.
Use positive body language — don't slouch.	Следите, чтобы ваша осанка и жесты выражали уверенность — не сутультесь.
Put all experiences in a positive light.	Представьте свой опыт работы с лучшей стороны.

Dialogue

Interview

- Good morning. I am Mrs. Jones, and I am the manager of this store.
- Good morning, Mrs. Jones. It is nice to meet you.
- Let me tell you a little about the job. The sales clerks are expected to help customers find what they need, as well as take turns at the register. The job pays $10 an hour.
- May I ask if there are any benefits?
- After you work here for one month, your health insurance coverage will start.
- That sounds fine.

— I see that you have some experience with books, but mainly you've been working in libraries. You may be overqualified for this job.

— It maybe so, but I love everything about books — not just reading them but helping people find books that are right for them!

— I have several more applicants to interview. We will let you know if you got the job in a day or two.

— Thank you very much for seeing me.

Интервью

— Доброе утро. Меня зовут миссис Джонс, я управляющий этого магазина.

— Доброе утро, миссис Джонс. Приятно познакомиться.

— Давайте я расскажу вам немного о работе. От продавца требуется помогать покупателям в поиске того, что им нужно, а также продавцы поочередно стоят за кассой. Оплата — 10 долларов в час.

— Могу я узнать, есть ли какие-нибудь дополнительные льготы и вознаграждения?

— Ваша медицинская страховка вступит в силу месяц спустя после начала работы.

— Ну что ж, это неплохо.

— Я вижу, у вас есть некоторый опыт работы с книгами, но в основном, вы работали в библиотеке. Возможно, у вас слишком высокая квалификация для этой работы.

— Возможно, но мне нравится все, что касается книг — не только читать их, но и помогать людям подбирать нужные им книги.

— У меня есть еще несколько претендентов на эту работу. Мы дадим вам знать о результатах через день или два.

— Большое спасибо, что встретились со мной.

Section 4

Starting a new job / На новом месте работы

Words

orientation	введение в курс дела
company policies	внутренняя политика компании (порядок ведения дел)
sick days	больничные дни

personal days	отгулы
coworkers	сотрудники, коллеги
chief of the department	начальник отдела
company headquarters	главный офис компании
front desk	стол дежурного при входе в учреждение
receptionist	секретарь, принимающий звонки и почту
vacation	отпуск
training	стажировка
promotion	повышение
layoffs	сокращения
probation period	испытательный срок
decision-making authority	право принимать решения
your responsibilities	ваши обязанности
expectations of your manager	ожидания вашего начальника
dress code	стиль одежды, принятый в данном учреждении
casual Fridays	по пятницам разрешена свободная форма одежды
pink slip	уведомление об увольнении (оно раньше печаталось на розовом бланке, только в США)

Expressions

A new job always presents a challenge.	Новая работа — это всегда трудное испытание.
You can lose your job for yelling at a customer.	Вы можете потерять работу, если будете кричать на клиента.
Leave your troubles at home. When you're at work, stay positive.	Забудьте о своих неприятностях. Когда вы на работе, будьте позитивно настроены.
You will get the training you need.	Вы пройдете необходимый тренинг (необходимую подготовку).
To whom should I report?	Кому я буду подчиняться?
Where will I actually be working?	Где я фактически буду работать?
How much travel is involved?	Много ли придется ездить в командировки?
What kind of growth could I expect?	На какие перспективы роста я могу рассчитывать?
Are any of the workers unionized?	Кто-нибудь из работников состоит в профсоюзе?

Don't criticize former employers or colleagues.	Не критикуйте бывших работодателей и коллег.
Establish good working relationships with your colleagues.	Установите хорошие рабочие отношения с коллегами.
Take steps to make your face known outside your department.	Постарайтесь познакомиться и с людьми из других отделов.
Better to ask and get it right than have to do it all over again.	Лучше спросить и сделать правильно, чем все переделывать.
Before you start working, make sure that you know all the rules and regulations.	Прежде, чем начать работу, убедитесь, что вы знаете все правила и предписания.

Dialogue

Starting a new job

— Good morning, sir. Welcome to the team.

— Thank you, Mrs. Jones. I am glad to be here.

— Let me show you around. All the fiction is on this floor, including science fiction, the classics, and children's literature. And the non-fiction occupies the second floor.

— I guess the books are located in an alphabetical order?

— That is correct. And if the customer doesn't know the title, you can always look it up on the computer.

— It's going to take me a little while before I get used to everything, but I am a quick learner.

— I am sure you are. And anyway, you are going to get a few days of training before you start working on your own.

— Thank you, Mrs. Jones. This looks like a very interesting job!

На новом месте работы

— Доброе утро, сэр. Добро пожаловать в наш коллектив.

— Спасибо, миссис Джонс. Я рад, что я здесь.

— Давайте я покажу вам, что у нас где находится. Вся художественная литература расположена на этом этаже, включая научную фантастику, классику и детскую литературу. А остальные книги занимают второй этаж.

— Я полагаю, книги расположены в алфавитном порядке.

— Да. И если покупатель не знает название книги, вы всегда можете посмотреть ее по компьютеру.

— Мне нужно какое-то время, чтобы привыкнуть ко всему, но я быстро учусь.

— Я не сомневаюсь. Но в любом случае, у вас будет несколько дней инструктажа прежде, чем вы начнете работать самостоятельно.

— Спасибо, миссис Джонс. Похоже, что это будет очень интересная работа.

Exercises

Упражнение 1
Вставьте пропущенный глагол.

A. I am going to ___ in the want ads.
   (*see, look, need, take*)

B. I ___ the classified section of the newspaper.
   (*see, look, need, bring*)

C. This ___ like a promising opportunity.
   (*sees, looks, needs, brings*)

D. She says she has been ___ out resumes for two months.
   (*seeing, looking, sending, bringing*)

E. It ___ a long time to write a good cover letter.
   (*sees, looks, needs, takes*)

Упражнение 2
Вставьте пропущенное слово.

A. Their starting ___ is only 20K a year.
   (*say, pay, job, benefit*)

B. Being computer ___ means more than just knowing the Internet.
   (*understanding, smart, literate, benefit*)

C. You get paid more for overtime, because you work ___ hours.
   (*much, long, many, extra*)

D. Their ___ include full medical coverage and sick days.
   (*employment, pay, job, benefits*)

E. I am ready to take any ___, as our financial situation is bad.
   (*chance, employer, job, benefit*)

Упражнение 3
Вставьте пропущенный предлог.

A. He is getting ready ___ his interview. (*to, over, for, into*)

B. She goes ___ several interviews every week.
   (*to, over, by, into*)

C. This resume was written ___ my friend.
   (*to, over, by, into*)

D. She is coming ___ to discuss her salary.
   (*in, over, by, into*)

E. They were impressed ___her previous experience.
   (*to, with, by, for*)

Упражнение 4
Выберите нужное слово в каждом предложении.

A. Working here means being a part of a ___.
   (*group, job, team, plan*)

B. It's a game and you have to know the ___.
   (*beginning, players, plans, rules*)

C. This position is filled, but we have another ___.
   (*opening, hope, salary, idea*)

D. Your responsibilities will ___ some typing.
   (*have, count, bring, include*)

E. We ___ you to have an in-depth knowledge of your department.
   (*understand, expect, know, think*)

Упражнение 5
Выберите нужное слово в каждом предложении.

A. Full-time employment ___ at least forty hours a week.
   (*makes, means, goes, works*)

B. Part-time work ___ you with a lot of free time on your hands.
   (*makes, does, leaves, gives*)

C. Good resumes are powerful advertising ___.
   (*makes, tools, systems, works*)

D. Her ___ experience makes her perfect for this job.
   (*first, previous, second, works*)

E. If we have to relocate, I'll ___ all the people we met here.
   (*place, see, talk, miss*)

Упражнение 6
Сделайте предложение вопросительным.

A. His training is primarily in electric engineering.

_____

B. This will be a problem for the human resources department.

_____

C. This could be too much responsibility for such a young man.

_____

D. He thinks he is going to get promoted quickly.

_____

E. She is ready and willing to apply for this job.

_____

Упражнение 7
Вставьте пропущенный предлог.

A. Fill ____ the form and send it to this address.
(*on, at, out, with*)

B. The office is located ____ this address.
(*on, at, for, with*)

C. Could you step into my office ____ a minute?
(*in, at, for, by*)

D. I've been working here ____ five years.
(*in, at, for, by*)

E. Smoking is not allowed ____ the premises.
(*in, at, on, by*)

Упражнение 8
Сделайте предложение отрицательным.
Употребите краткую отрицательную форму глагола.

A. She went to her job interview unprepared.

_____

B. He got enough sleep the night before he started the new job.

_____

C. The company location will play an important role in my decision.

_____

D. She was seen with her boss at the theater.

_____

E. I took many business trips abroad.

_____

Phonetics

Особенности чтения буквы A в закрытом слоге

Если буква **A** стоит перед буквосочетаниями **nt, nc, nch, ns, sk, st, sp, ss, ff, ft, th**, американцы произносят ее не как долгое [ɑ:], а как в слове **cat** [æ].

ask [æsk]

answer [ˈænsər]

past [pæst]

class [klæs]

grass [græs]

dance [dæns]

task [tæsk]

glance [glæns]

can't [kænt]

pass [pæs]

fast [fæst]

cast [kæst]

mask [mæsk]

chance [tʃæns]

plant [plænt]

branch [bræntʃ]

bath [bæθ]

staff [stæf]

path [pæθ]

France [fræns]

Let's Practice

Переведите с русского на английский. Потом сверьте свой вариант с ответом на обороте страницы.

Help wanted ads / Объявления о найме на работу
1. Адвокатская контора ищет надежного секретаря, умеющего работать на компьютере.

2. Срочно требуется электрик.

3. Она будет работать на полставки.

4. Требуется библиотекарь; беглый английский — обязателен.

Resume / Резюме
5. Ваше резюме обязательно должно быть напечатано на хорошей бумаге.

6. Все время обновляйте свое резюме.

7. Не используйте длинных предложений в своем резюме.

8. Посылая свое резюме, всегда прилагайте короткое сопроводительное письмо.

Interview / Собеседование
9. Я считаю, что я хорошо работаю в коллективе.

10. Я уверен, что я немало смогу содействовать этой фирме.

11. Скажите, почему вы уволились со своей предыдущей работы?

12. Спасибо, что потратили на меня столько времени.

Starting a new job / На новом месте работы
13. Я бы крайне хотел работать с вами.

14. У меня обширный стаж работы именно в этой области.

15. Я сделаю все, что в моих силах, чтобы оправдать ваше доверие.

16. Вежливость и пунктуальность производят хорошее впечатление на работодателей.

Проверьте себя

Help wanted ads / Объявления о найме на работу

1. Law firm seeks a reliable, computer-literate secretary.
2. There is an immediate opening for an electrician.
3. She'll be working part time.
4. A librarian is needed; fluent English is a must.

Resume / Резюме

5. Your resume must be printed on good paper.
6. Always keep you resume up-to-date.
7. Do not use lengthy sentences in your resume.
8. When sending out your resume, always enclose a short cover letter.

Interview / Собеседование

9. I consider myself a good team player.
10. I am confident that I can contribute a lot to this company.
11. Tell me, why did you leave your previous job?
12. Thank you for giving me so much of your time.

Starting a new job / На новом месте работы

13. I am more than willing to work with you.
14. I have extensive work experience precisely in this area.
15. I will do everything I can to justify your trust.
16. Good manners and punctuality make a good impression on employers.

Real Estate
Недвижимость

Let's Study

1. *Simple Future Tense*

Тема, называемая в английских учебниках *Simple Future Tense* (простое будущее время), на самом деле весьма непроста. Тому есть две причины.

Первую из них можно назвать технической — данное время (иначе называемое *Future Indefinite Tense*) образуется при помощи особых вспомогательных глаголов — **shall** или **will**. Изначально, в британском варианте языка, глагол shall употреблялся в первом лице, а **will** — во втором и третьем. **American English** упростил ситуацию, и **will** употребляется во всех лицах:

>   **I will (he will) do it tomorrow**. — Я сделаю (он сделает) это завтра.

Однако и для **shall** остается место, хотя и не такое заметное. О соотношении глаголов **shall** и **will** и о том, когда они меняются местами, мы поговорим ниже.

Глагол will очень часто сокращается в живой речи:

>   **will = 'll; will not = won't**
>   **I simply won't have time for it.** — У меня просто не будет времени для этого.

Заметим, что начинающие часто «спотыкаются», путая второе из этих сокращений со словом **want**. Эти слова похожи только на первый взгляд; надо просто привыкнуть к ним.

В построении будущего времени есть одна тонкость, знание которой избавит вас от многих ошибок. Рассмотрим для примера предложение:

>   Я буду петь. — **I will sing.**

И в русском, и в английском после вспомогательного глагола стоит смысловой глагол в инфинитиве, однако в данном случае английский инфинитив лишен своего главного признака — частицы to. Почему? Дело в том, что **will** — это модальный глагол (так же как **can** или **must**) и он «отменяет» употребление частицы to после себя. Казалось бы, какая разница: глагол в 1-й форме или в инфинитиве без частицы **to** — они ведь выглядят одинаково. Эта разница проявляется в двух случаях. Во-первых, это относится к глаголу **to be**:

> **There will be some work for you on Friday.** — В пятницу для вас будет кое-какая работа.

Во-вторых, модальные глаголы (возьмем опять же для примера **must** и **can**) своего инфинитива не имеют, и, значит, в простом будущем времени они вообще стоять не могут. Их место занимают «заместители» — **to have (to) и to be able (to)**:

> **You will have to stay at home.** — Вам придется остаться дома.
> **Soon he will be able to read.** — Скоро он сможет читать.

Есть только один способ сказать по-английски:

> Я не смогу (сделать что-то). — **I won't be able (to do something)**.
> **I won't be able to arrange this meeting.** — Я не смогу организовать эту встречу.
> **Will you be able to accept our invitation?** — Вы сможете принять наше приглашение?

В английском языке есть и другие способы выражения будущего времени — это вторая серьезная трудность для русскоязычных студентов. Очень часто встречается оборот **to be going to**. Его обычно переводят русскими словами «собираться», «намереваться», однако это соответствие неполное. Посмотрите:

> **When are you going to pay this bill?** — Когда вы собираетесь оплатить этот счет?
> **Be careful, Bob! You are going to fall.** — Осторожнее, Боб! Ты (сейчас) упадешь.

Во втором случае Боб вовсе не собирается падать, однако здесь употреблен тот же оборот.

Дело осложняется тем, что есть еще и другие способы выражения будущего времени. Начнем с того, что попроще. Фраза в настоящем времени может сообщать и о будущих событиях:

> **I'm leaving tomorrow.** — Я уезжаю завтра.
> **The train leaves at 7 p.m.** — Поезд отходит в 7 часов вечера.

Обратите внимание на любопытную деталь: время *Present Continuous* употребляется, когда речь идет не просто о планах, а о конкретных приготовлениях, а *Present Indefinite* — только если говорится о расписаниях (поездов, спектаклей, передач и т.д.):

What are you doing this weekend? — Что вы делаете в эти выходные?

What time does the concert start? — В какое время начинается концерт?

2. Оборот TO BE GOING TO

Оборот to be going to на самом деле тоже имеет два варианта:
1) эквивалент будущего времени

I'm going to sell this car. — Я буду продавать эту машину.

2) наравне с другими глаголами в только что упомянутой конструкции — в *Present Continuous*, сохраняя свое значение «идти, ехать», также описывает действие, направленное на будущее. **I'm going to Boston next week.** — На следующей неделе я еду в Бостон.

Как подтверждение различия — в первом случае можно употребить разговорную форму **gonna** (**I'm gonna sell it**), а во втором — нельзя.

А теперь самая сложная проблема — когда лучше использовать оборот **to be going to**, а когда простое будущее время с глаголом **will**? Однозначного ответа нет, нередко можно сказать и так, и так. Попробуем описать различия. Опять же, основных ситуаций две: когда человек говорит о себе (т.е. он что-то решил сделать) и когда он просто говорит о будущих событиях (т.е. как бы предсказывает их).

Для того, чтобы предсказать будущие события, используются обе конструкции. Иногда они идут одна за другой — **to be going to** подчеркивает намерение, а **will** перечисляет детали или комментирует их:

We're going to have dinner this Sunday. There'll be five of us. — **Oh, that'll be nice.** — Мы устраиваем обед в это воскресенье. Нас будет пятеро. — Это будет славно.

Но есть и другая идея, менее привычная для нас. **To be going to** показывает предопределенность событий, в то время как **will** просто констатирует факт:

Look at these clouds — it's going to rain soon. — Посмотри на эти облака — скоро будет дождь.

She's going to have a baby in May. — В мае она будет рожать.

Be careful! You're going to break this chair. — Осторожно! Ты сломаешь этот стул.

Еще раз нужно подчеркнуть — человек вовсе не собирается ломать стул; его действия предопределяют этот результат, как тучи —

дождь, а беременность — роды. И еще один довольно тонкий момент: если оборот **to be going to** не называет конкретного времени, то подразумевается самое ближайшее будущее, в то время, как **will** тяготеет к более удаленной перспективе.

Однако ситуация меняется, когда мы говорим о планах, намерениях. Если решение о будущем действии принято заранее — употребляется **to be going to**; если решение принято на месте, спонтанно — употребляется **will**.

> **I left my wallet at home. — Don't worry, I'll lend you $20.** — Я забыл дома бумажник. — Не беспокойся, я одолжу тебе 20 долларов. (Решение принимается на месте).

Позднее вы можете сказать:

> **I'm going to lend you the money. Do you still need it?** — Я одолжу тебе деньги. Они тебе еще нужны?

Вот еще примеры «мгновенной реакции»:

> **Somebody is knocking at the door. — I'll open it.** — Кто-то стучит в дверь. — Я открою.
>
> **This suitcase is very heavy. — I'll help you.** — Этот чемодан очень тяжелый. — Я тебе помогу.
>
> **Where's my jacket? — I'll go and get it for you.** — Где моя куртка? — Я схожу принесу ее тебе.

Есть типичный случай, когда употребляется только **will** — после вводных слов **I think**, **I'm sure**, **I expect**, и т.п.:

> **I think we'll see you tomorrow.** — Думаю, мы завтра тебя увидим.
>
> **I'm sure it'll be all right.** — Я уверен, что все будет в порядке.

Наконец, упомянем еще один оборот — **to be about to**, который указывает на самое ближайшее будущее:

> **The lesson is about to start.** — Урок скоро начнется.
>
> **She is about to cry.** — Она вот-вот заплачет.

Повторю в заключение, что оборот **to be going to** настолько популярен в живой речи, что для него выработалась особая форма-скороговорка — **gonna**:

> **Don't worry, it's gonna be all right!** — Не беспокойся, все будет в порядке!

3. Дополнительные значения SHALL

Тему о будущем времени необходимо дополнить материалом о других значениях глаголов **shall**, **will** и их форм прошедшего времени **should**, **would**. Эти слова в английском языке живут как бы в двух плоскостях: с одной стороны их грамматические функции, а с другой — их дополнительные значения, которыми «обросло» каждое из них.

Сначала поговорим еще немного о грамматике. Исходное, британское, правило образования будущего времени гласило: **shall** употребляется в 1-м лице (**I, we**), а **will** — во 2-м и 3-м. Все знают, что американцы на практике «не признают» это правило, употребляя will во всех лицах. Однако нужно запомнить: когда фраза выражает сильную эмоцию (решимость, приказ и т.д.), **shall** и **will** меняются местами. Многие образованные американцы и сегодня сохраняют этот оттенок в речи: **shall** может заменять **will** в любом лице, подчеркивая ответственность или решимость говорящего:

The enemy shall not pass! — Враг не пройдет!

I give you my word: the work shall be finished by Friday. — Даю вам слово: работа (обязательно) будет закончена к пятнице.

Так, лозунгом поборников прав человека в 60-е годы стало:

We shall overcome! — Мы (обязательно) победим!

Shall употребляется в вопросах, когда говорящий ожидает совета, указания, предлагает свои услуги:

Shall I wait for you? — Мне вас подождать?

Shall I bring you some tea? — Принести вам чаю?

Сравните:

What shall I do? — Что мне делать? (я жду указаний).

What will I do if...? — Что я буду делать, если...? (обычный вопрос).

В обиходной речи на этот нюанс часто не обращают внимания и вместо **shall** в подобных случаях употребляют **should**. Однако в речи образованных людей он присутствует.

4. Дополнительные значения WILL

Прежде всего, слово **will** имеет очень важное значение как существительное:

1) **will** — воля, желание

He has a strong (weak) will. — У него сильная (слабая) воля.

He doesn't have the will power to give up smoking. — У него не хватает силы воли, чтобы бросить курить.

She has lost the will to live. — Она потеряла волю к жизни.

You can come and go at will. — Вы можете приходить и уходить по желанию.

God's will = the will of God — Божья воля

Один из оттенков этого значения выделяется особо:

will = last will — завещание

to make a will — составлять завещание

In his will, he didn't even mention Jim. — В своем завещании он даже не упомянул Джима.

Посмотрите, как существительное в этом значении легко переходит в глагол, не меняя формы (это явление называется конверсией):

She willed the house to her son. — Она завещала дом своему сыну.

Итак, перед нами удивительное явление — два разных глагола **will**. Первый — модальный (не имеет ни инфинитива, ни **-ing**-формы), выполняет грамматическую функцию — одним словом, сильный глагол. Второй — самый обыкновенный, слабый глагол; его основное значение:

2) **will** — проявлять волю, желание

You can join us if you will. — Вы можете присоединиться к нам, если пожелаете.

To will is not enough, you have to do something. — Хотеть (одного желания) недостаточно, надо что-то делать.

Другое, весьма интересное значение глагола **will** философски указывает на неизбежность события или сообщает общие истины:

Accidents will happen. — Несчастный случай всегда может произойти.

Prices will go up. — Цены имеют обыкновение расти.

Boys will be boys. — Мальчишки остаются мальчишками (т. е. ведут себя соответственно).

Еще одно «узкое» значение этого глагола переводится словом «способен»:

This car will seat 4 people. — Эта машина вмещает 4 человек.

Иногда «по инерции» эти фразы переводят будущим временем, но этого не нужно делать.

Рекомендуем вам обратить особое внимание на употребление **-ing**-формы этого глагола:

She is willing to answer your questions. — Она охотно ответит на ваши вопросы.

How much are you willing to pay? — Сколько вы готовы (согласны) заплатить?

He is unwilling to talk to you. — Он не расположен говорить с вами.

God willing, there will be rain next week. — Бог даст, на следующей неделе пойдет дождь.

He testified unwillingly. — Он неохотно давал показания.

3) **Will** во 2-м лице употребляется для выражения вежливой просьбы или приглашения:

Will you please sit down? — Присядьте, пожалуйста.

Will you have a cup of tea? — Можно вам предложить чашку чая?

Однако не забывайте, что вежливый характер такой фразы в первую очередь связан с интонацией, которая на бумаге передается вопросительным знаком. Посмотрите на первую фразу — ведь здесь нет никакого вопроса; а сейчас мы ее произнесем раздраженным тоном:

Will you please sit down! — Да сядьте же вы!

5. Дополнительные значения WOULD и SHOULD

WOULD

1) Еще большая степень вежливости; давайте сопоставим несколько вариантов «с нарастанием вежливости»:

Open the window please.

Will you please open the window?

Won't you please open the window?

Would you please open the window? — Будьте добры, откройте окно.

2) Всем известное и чрезвычайно употребительное выражение

I would like = I'd like — как более мягкий эквивалент слова want:

I'd like to sleep if you don't mind. — Я бы хотел поспать, если вы не возражаете.

Небольшая деталь: этот оборот не имеет отрицательной формы:

Would you like to sleep? — No, I don't want to (sleep). — Не хотите поспать? — Нет, я не хочу.

Еще один аналогичный оборот показывает предпочтение:

I would rather = I'd rather — я бы лучше

How about a drink? — I'd rather eat something. — Как насчет выпивки? — Я бы лучше поел чего-нибудь.

3) **would** — описывает привычное действие в прошлом (частичный эквивалент оборота used to):

We used to work in the same building. We would have lunch together. — Раньше мы работали в одном здании. Мы обычно вместе обедали.

4) **Would** имеет и грамматические функции — он задействован в правиле согласования времен и в так называемых условных предложениях, но здесь мы об этом говорить не будем.

SHOULD

1) Чаще всего это слово переводится как «следует», «надо»; с его помощью дают советы, пожелания:

You should eat more fruit. — Вам следует есть больше фруктов.

At this age a child should be able to read. — В этом возрасте ребенку надо уметь читать.

2) В сочетании с перфектной конструкцией **should** показывает, что совет не был выполнен (действие не реализовано):

He should have called the police. — Ему надо было вызвать полицию.

You should have seen his face at the moment. — Вы бы видели его лицо в тот момент.

3) Два полезных идиоматических оборота:

(What's his phone number?) — How should I know? — (Какой у него телефон?) — Откуда мне знать?

(Give me the money.) — Why should I? — (Дай мне денег.) — С какой стати?

И в завершение еще одна замечательная пословица, которая суммирует не только эту тему, но и многие жизненные рассуждения:

Where there's a will there's a way. — При желании всего можно добиться.

Или лучше: — Было бы желание, а способ найдется.

6. Home, Sweet Home

Два английских слова **house**, **home** соответствуют русскому понятию «дом»:

house — строение, здание

I live in a five-story house. — Я живу в пятиэтажном доме.

He has an apartment in Manhattan and a house in the country. — У него квартира в Манхэттене и дом за городом.

Слово **home** связано с понятием домашнего очага:

Make yourself at home! — Чувствуйте себя как дома!

This house is our home. — Вот в этом доме мы живем.

I do not feel at home in this huge house. — Я не чувствую себя дома в этом огромном здании.

Boston is her home town. — Бостон — ее родной город.

to be homesick — тосковать по дому (по Родине).

Английская пословица четко фиксирует различие между этими словами:

Men make houses, women make homes. — Мужчины создают дома, а женщины — атмосферу в них.

В Америке реклама с выгодой пользуется теплотой слова **home** — его стали использовать для обозначения продаваемого жилья:

> **You can buy a home at a reasonable price.** — Вы можете купить дом по разумной цене.

Интересно, что русское словосочетание «домашняя работа» имеет два значения:

> **housework** — работа по дому (например, уборка)
>
> **homework** — работа на дом; домашнее задание.

Приведем еще несколько словосочетаний:

> **household** — люди, живущие под одной крышей; иногда это переводится как «семья», а иногда — как «домашнее хозяйство».
>
> **She is the head of the household.** — Она — глава семьи.
>
> **household goods** — товары для дома
>
> **household expenses** — расходы по дому
>
> **household name (household word)** — имя или название, известное в каждом доме:
>
> **In the 60-s the Beatles became a household name.** — В 60-е годы группа Битлз приобрела всенародную известность.
>
> **housekeeping** — ведение хозяйства; домоводство
>
> **housewife** — домохозяйка
>
> **housewarming** — новоселье
>
> **house plant** — комнатное растение
>
> **to be under house arrest** — быть под домашним арестом

Учреждения, предоставляющие услуги по уходу за детьми и престарелыми, называются словом home:

> **children's home** — детский дом
>
> **nursing home** — дом для престарелых.

Но как только элемент сочувствия уходит, меняется и перевод слова «дом»:

> **madhouse** — сумасшедший дом
>
> **I can't hear you, everyone is shouting; this is a madhouse.** — Я вас не слышу, все кричат; это просто сумасшедший дом.

И, в заключение, занятная идиома:

> **on the house** — за счет заведения
>
> **Our company celebrates its fifth anniversary; the champagne is on the house.** — Наша компания празднует свою пятую годовщину; шампанское — за счет фирмы.

Section 1

At the real estate office / В агентстве недвижимости

Words

home hunting	поиск жилья
location	место расположения
suburb	пригород, окраина
lot	участок земли
zoning	функциональное назначение данного района (например, только для жилья)
architectural style	архитектурный стиль
master bedroom	главная спальня
eat-in kitchen	большая кухня (кухня достаточной величины, чтобы в ней можно было поставить стол)
resale value	цена при перепродаже
homeownership	домовладение
amenities	удобства
backyard	задний двор (дворик)
apartment building	многоквартирный дом
high-rise	высотное здание
skyscraper	небоскреб
cooperative	жилищный кооператив
superintendent = super	управдом
a fixer-upper	дом-развалюха
house price trends	тенденция роста цен на жилье
buyer's market	рынок, выгодный для покупателя
seller's market	рынок, выгодный для продавца
single family detached home	отдельно стоящий дом для одной семьи
townhouse	группа 2—3-этажных зданий, объединенных общей стеной
attached garage	гараж, примыкающий к дому
square footage	размер дома в квадратных футах
development	застройка

Expressions

location, location, location	место, место, место (имеется в виду, что при выборе дома место — это главное)
to own a home	иметь собственный дом
to make a sound financial investment	сделать разумное капиталовложение
to live in an well-to-do neighborhood	жить в благополучном районе
The house is in a move-in condition.	Дом готов к заселению.
to make a weighty commitment	принять серьезное обязательство
to select the right property	выбрать правильную недвижимость (подходящее жилье)
to find a home that fits your needs	найти дом, который отвечает вашим нуждам
to find a good deal	найти выгодное предложение
to understand the housing market	понимать тонкости рынка недвижимости
to clarify your reasons to buy	уточнить причины для покупки (дома)
to wear golden handcuffs	надеть золотые наручники (купить дом)
to list all the features you wish in a home	составить список желательных характеристик дома
to prioritize desired home features	упорядочить желаемые характеристики дома по степени важности
to build a custom home	построить дом по заказу
to perform a market analysis	сделать анализ рынка (недвижимости)
to find a "fixer-upper"	найти дом, который нуждается в ремонте; «развалюху»

Dialogue

At the real estate office

— I always wanted to own a house. And I decided it's the right time to buy now.

— It is a buyer's market. Do you know what kind of house you would like to buy?

— I would like a fixer-upper but with a large master bedroom and an eat-in kitchen.

— It's a smart decision. You buy an inexpensive house in a good neighborhood, and after renovation its resale value will increase.

- It's exactly what I had in mind.
- Did you choose a particular neighborhood yet?
- I would like a well-to-do neighborhood with good public transportation.
- Good luck. And keep in mind that a good real estate agent is your key to success.

В агентстве недвижимости

- Я всегда хотел иметь собственный дом. Наконец я решил, что пришло время его купить.
- Сейчас как раз очень выгодная для покупателя ситуация на рынке. Ты уже знаешь, какой дом хочешь купить?
- Я бы хотел дом в плохом состоянии, но с большой спальней и просторной кухней.
- Это разумное решение. Покупаешь недорогой дом в хорошем районе, а после ремонта его стоимость возрастает.
- Именно это я и имел в виду.
- Ты уже выбрал какой-то район?
- Я бы хотел благополучный район с развитой транспортной инфраструктурой.
- Удачи тебе. И помни, что хороший риэлтер — это ключ к успеху.

Section 2

Finalizing the deal / Завершение сделки

Words

financial considerations	финансовые соображения
one-time costs	разовые затраты
ongoing commitments	действующие обязательства
additional expenses	дополнительные расходы
down payment	задаток, первый взнос
home loan	заем для покупки дома
additional expenscs	дополнительные расходы
loan insurance	страховка на заем
household income	доход семьи
home inspection	инспекция дома (осмотр дома специалистом, чтобы определить, в каком он состоянии)
safety	безопасность

professional	профессионал
lawyer	адвокат
realtor	агент по продаже недвижимости, риэлтер
hire	нанять
enlist	завербовать
insurance broker	страховой агент
reputable	достойный уважения
habitable	годный для жилья
disbursement	выплата (денег)
purchase price	покупная цена
financial details	финансовые детали
negotiate	вести переговоры, договариваться
afford	быть в состояние позволить себе
lien	право наложения ареста на имущество (за долги)
utilities	коммунальные услуги
possession	владение
counteroffer	предложение продавца в ответ на предложение покупателя, контрпредложение
land survey	осмотр (и отчет об осмотре) земли
certified check	чек, заверенный в банке
deed	легальный документ, который является доказательством владения домом

Expressions

to qualify for a loan	соответствовать условиям получения займа
to plan maintenance costs	планировать стоимость обслуживания (дома)
to make the best choice for you	выбрать лучший для вас вариант
to perform an appraisal	сделать оценку (дома)
to have a team of professionals at your service	иметь команду профессионалов к вашим услугам
to ask for referrals	попросить рекомендации
to understand a home's condition	понимать, в каком состоянии находится дом
to assess the condition of the house and all it's systems	оценить состояние дома и всех его систем

to review the contracts	просмотреть контракты
to protect your interests	защитить свои интересы
to get a pre-approved mortgage	получить заранее одобренный заем
to complete a deal	завершить сделку
to close the deal	осуществить заключительный этап сделки
closing	заключительный этап сделки (подписание бумаг на покупку дома)
to make an offer	сделать официальное предложение о покупке дома
to know your upper limit	знать предел своих возможностей
to make a smooth transition	плавно перейти
to arrange your utilities	договориться об услугах (кабель, свет, и т.д.)
to legally take possession	стать легальным владельцем
to determine how much house you can afford	определить, насколько дорогой дом вы можете купить
sources of information	источники информации
to save you time and trouble	сэкономить время и нервы
to make a lump sum payment	выплатить одной крупной суммой
There are lots of options.	Есть много вариантов.

Dialogue

Finalizing the deal

— Did the closing go OK? Is the house yours already?
— Yes. With all the offers and counteroffers I was afraid it would never happen.
— I am a bit surprised that you bought such a large house.
— I got a great mortgage because of my good credit history.
— What did the house inspection reveal? What is the real condition of the house?
— So far, so good! All I have to do right now is to replace a sink in the kitchen and to fix a garage door.
— Did the condition of the house affect the purchase price?
— It did, but not much because this house was already underpriced.

Завершение сделки

— Сделка прошла нормально? Дом уже твой?
— Да. Со всеми этими предложениями и контрпредложениями я боялся, что это никогда не случится.
— Я немного удивлен, что ты купил такой большой дом.

— Я получил хорошую ссуду благодаря моей прекрасной кредитной истории.

— Что показал осмотр дома? Каково его истинное состояние?

— Пока что все неплохо. Все, что надо сделать прямо сейчас — это заменить раковину на кухне и починить дверь в гараже.

— Состояние дома повлияло на его стоимость?

— Повлияло, но не очень, потому что цена и так была уже снижена.

Section 3

Making a house a home / Как обжить дом

Words

mover	грузчик; компания, предоставляющая услуги грузоперевозок
flat rate	цена, не зависящая от часов работы и других деталей
hourly rate	расценки за час
rug	ковер
carpet	палас
wallpaper	обои
sheers	прозрачные занавески
curtains	занавески
living room set	мебельный гарнитур для гостиной
couch	кушетка, диван
love seat	короткий диван, диван на двоих
chair	кресло или стул
upholstery	обивка
chandelier	люстра
floor lamp	торшер
decorative pillows	декоративные подушки
pantry	кладовка для продуктов
wardrobe	платяной шкаф
closet	стенной шкаф

Expressions

to ask the mover for an estimate	попросить у грузоперевозчика смету

to offer a moving insurance coverage	предложить страховку, возмещающую убытки в случае повреждения вещей при перевозке
to prepare and pack the contents of a home	приготовить и упаковать вещи
to unload and unpack boxes	разгрузить и распаковать коробки
to give special instructions	дать специальные инструкции
to inform people of the moving date	сообщить о дне переезда
to shut down utilities at the old address	отказаться от коммунальных услуг по старому адресу
to send written notifications of change of address	отправить письменное извещение о смене адреса
to deliver furniture	доставить мебель
express delivery	срочная доставка

Dialogue

Making a house a home

— Hi, Betty. Thank you for recommending that movers. Everything went well.

— Were they careful with your furniture and paintings?

— Can you imagine — nothing was damaged. And their hourly rate was reasonable.

— How is the unpacking going? Did you put your furniture in place?

— I did. Why don't you come over and see?

— Oh, I will! Did you hang the picture I gave you for your birthday?

— Not yet. I will wait until you come — I'd like us to do it together.

— Let's do it tonight — it's gonna be a lot of fun.

Обживаем дом

— Привет, Бетти! Спасибо, что посоветовала мне этих грузчиков. Все прошло хорошо.

— Они были осторожны с мебелью и картинами?

— Можешь себе представить — все цело. И у них приемлемые расценки.

— Как идет распаковка вещей? Вы мебель расставили?

— Расставили. Заходи — посмотришь!

— Приду. Ты повесил картину, которую я тебе подарила на день рождения?

— Нет еще. Я жду, когда ты придешь — я бы хотел это сделать вместе с тобой.

— Давай сегодня вечером — будет весело.

Section 4

Renovation / Ремонт дома/квартиры

Words

door knobs	дверные ручки
floor treatments	обработка пола
ceramic tile	керамическая плитка
hardwood floors	паркет
kitchen counter	кухонная стойка
kitchen cabinets	кухонные шкафчики
bathtub	ванна
shower head	распылитель для душа
faucet	кран
maintenance	поддержание (дома) в порядке
craftsman	мастер
plumber	сантехник
carpenter	плотник
electrician	электрик
siding	обшивка (дома)
attic	чердак
basement	подвальное помещение
fireplace	камин
landscaping	планировка участка

Expressions

wall-to-wall carpet	палас на всю комнату
to install siding	установить (смонтировать) сайдинг
to modernize the kitchen	модернизировать кухню
to shop for kitchen appliances	выбирать (искать) кухонное оборудование
to hire a contractor	нанимать подрядчика
to meet the schedule	уложиться в расписание
to make an estimate	составить смету
the cost of materials	стоимость материалов

the labor costs	стоимость работ
to increase the value of the home	увеличить стоимость дома
to re-do the bathroom	переделать ванную
to warranty the job	дать гарантию на работу
to pay in installments	выплачивать частями
home improvement store	магазин, специализирующийся на товарах для дома
to install a skylight	делать окно на крыше
to lay down the floor	укладывать пол
central air conditioning	центральный кондиционер
central heating	центральное отопление
electric heating	электрическое отопление
steam radiator heating	паровое отопление
water heating	водяное отопление
sewage system	канализационная система
finished basement	отремонтированное для жилья подвальное помещение
sprinkler system	автоматическая система полива
security alarm system	охранная сигнализация

Dialogue

Renovation

- I can't believe you finished the renovation!
- I hired a good contractor and he has taken care of all the details.
- Did you put down a new floor?
- Yes. Tile in the kitchen and bathroom, and hardwood in the living room.
- That sounds great! Did you install those fancy faucets in the bathroom?
- And a new sink, too. Actually, I renovated the bathroom entirely.
- And what's going to be the next step?
- I have a dream — to install a skylight in my bedroom. I want to see the stars sometimes! I think I'll do it next year.

Ремонт дома/квартиры

- Не могу поверить, что ты закончил ремонт.
- Я нанял хорошего подрядчика и он продумал все детали.
- Ты положил новые полы?
- Да. Плитку в кухне и ванной комнате и паркет в гостиной.

— Здорово! Ты стал устанавливать эти модные краны в ванной?

— И новую раковину тоже. На самом деле, я переделал всю ванную полностью.

— А что будет следующим шагом?

— У меня есть мечта — сделать окно в потолке спальни. Я хочу иногда смотреть на звезды. Думаю, я сделаю это в следующем году.

Exercises

Упражнение 1
Вставьте пропущенный глагол.

A. What features did you ___ in your new home?
   (*take, ask, made, want*)

B. Instead of renting, we wanted to ___ our home.
   (*make, take, own, see*)

C. He planned to ___ a good investment in real estate.
   (*make, take, own, see*)

D. They ___ a wonderful decorator.
   (*hired, bought, made, asked*)

E. To take out a mortgage means to ___ money.
   (*lend, qualify, make, borrow*)

Упражнение 2
Вставьте пропущенное слово.

A. We decided to buy a house in the ___.
   (*place, real estate, corner, suburbs*)

B. We made a large ___ payment on our mortgage.
   (*first, house, loan, down*)

C. Our house has a large ___ bedroom.
   (*master, house, home, chief*)

D. I choose white ___ for the kitchen windows.
   (*rug, carpet, sheers, tile*)

E. The ___ costs during our renovation were high.
   (*expense, labor, price, closing*)

Упражнение 3

Вставьте пропущенный предлог.

A. The house is ___ the suburbs.
   (*on, in, at, for*)

B. Ask the mover __ an estimate.
   (*after, at, for, on*)

C. I made an offer ___ the house.
   (*in, to, at, on*)

D. Our moving van is ___ your service.
   (*at, into, on, to*)

E. I decorated my bathroom ___ blue curtains.
   (*from, with, on, at*)

Упражнение 4

Выберите нужное слово в каждом предложении.

A. I ___ a good deal on buying this house.
   (*owned, took, had, made*)

B. The house ___ a large eat-in kitchen.
   (*owned, took, had, made*)

C. My lawyer ___ his payments in installments.
   (*owned, took, had, made*)

D. I ___ a nice house once.
   (*owned, took, had, made*)

E. She ___ the wallpaper off the walls in the living room.
   (*owned, took, had, made*)

Упражнение 5

Сделайте предложение вопросительным.

A. He decided to buy a house.

_____

B. You hired a realtor.

_____

C. You can apply for a mortgage this month.

_____

D. He modernized the bathroom.

_____

E. The closing was delayed.

_____

Упражнение 6

Сделайте предложение вопросительным. Напечатайте ответ.

A. You got a deal on the house.

_____

B. It takes a long time to find a house.

_____

C. She made a wise choice.

_____

D. They bought beautiful curtains.

_____

E. He spoke to a realtor.

_____

Упражнение 7

Сделайте предложение отрицательным.
Употребите краткую отрицательную форму глагола.

A. We prioritized our needs.

_____

B. I painted the walls blue.

_____

C. She hired a contractor.

_____

D. The purchase price was high.

_____

E. They moved to a good area.

_____

Упражнение 8

Сделайте предложение отрицательным.

Употребите краткую отрицательную форму глагола.

A. We made a smart decision.

_____

B. I understood all details of our contract.

_____

C. He found a good deal.

_____

D. I sent a written notification.

_____

E. They were given an offer.

_____

Phonetics

Произношение буквы U

Букву **U** после согласной под ударением многие американцы произносят не как [juː], а как один звук [uː]. В результате первый слог в слове "**Tuesday**" звучит как слово "**two**".

due [duː]
duke [duːk]
dual ['duːəl]
dune [duːn]
duplex ['duːpleks]
durable ['duːrəbəl]
duration [duːˈreɪʃən]
duty ['duːtɪ]
new [nuː]
news [nuːz]

newspaper ['nuːzˌpeɪpər]
nutrition [nuːˈtrɪʃən]
nuisance ['nuːsəns]
nuance ['nuːɑːns]
numerous ['nuːmərəs]
nude [nuːd]
dude [duːd]
tube [tuːb]
tune [tuːn]
Tuesday [tjuːzdi]

Let's Practice

Переведите с русского на английский. Потом сверьте свой вариант с ответом на обороте страницы.

At the real estate office / В агентстве недвижимости

1. Что вы думаете о рынке недвижимости?

   _____

2. Вы приняли решение купить дом?

   _____

3. Какой архитектурный стиль вам нравится?

   _____

4. Вы составили список всех необходимых вам удобств?

   _____

Finalizing the deal / Завершение сделки

5. Когда вы осуществили сделку?

   _____

6. Какие у вас были дополнительные расходы?

   _____

7. Вы вносили большой задаток?

   _____

8. Нам понравился дом, и мы решили сделать предложение о его покупке.

   _____

Making a house a home / Обживаем дом

9. Вы сообщили своим друзьям, когда вы переезжаете?

   _____

10. Вы составили план ремонта для всего дома?

    _____

11. Какая у вас кухня?

    _____

12. Вам привезли новую мебель в спальню?

    _____

Renovation / Ремонт дома/квартиры

13. Вы поменяли все дверные ручки?

    _____

14. Когда они отремонтировали кухню?

    _____

15. Мы установили кухонные шкафчики, сделанные по спецзаказу.

    _____

16. Новые окна существенно уменьшат ваши расходы на отопление.

    _____

Проверьте себя

At the real estate office / В агентстве недвижимости

1. What do you think of the real estate market?
2. Did you make a decision to buy a house?
3. Which architectural style do you like?
4. Did you make a list of amenities important to you?

Finalizing the deal / Завершение сделки

5. When did you close the deal?
6. What additional expenses did you have?
7. Did you make a large down payment?
8. We liked the house and we decided to make an offer.

Making a house a home / Обживаем дом

9. Did you inform your friends of your moving date?
10. Did you develop a renovation plan for the whole house?
11. What is your kitchen like?
12. Did they deliver your new bedroom furniture?

Renovation / Ремонт дома/квартиры

13. Did you change all the doorknobs?
14. When did they renovate the kitchen?
15. We installed custom-made kitchen cabinets.
16. New windows will significantly decrease your heating expenses.

Homonyms

В этом разделе вы познакомитесь с примерами Омонимов — слов, которые совпадают по звучанию, но имеют совершенно разные значения. Это позволит вам избежать путаницы при восприятии живой речи. (Здесь приводится только одно из возможных значений каждого слова).

add (v) — добавлять

aid (n) — помощь

air (n) — воздух

aisle (n) — проход

alter (v) — изменять

ant (n) — муравей

arc (n) — арка

ate (v) — ел

bare (a) — голый

be (v) — быть

beach (n) — пляж

beat (v) — бить

berry (n) — ягода

berth (n) — место, койка

bite (n) — укус

blew (v) — дуть

boar (n) — кабан

board (n) — доска

brake (n) — тормоз

buy (v) — покупать

cache (n) — тайник

callous (a) — черствый (человек)

capital (n) — столица

carat (n) — карат

cede (v) — уступать

cell (n) — ячейка

cent (n) — цент

coarse (a) — грубый

council (n) — совет (группа людей)

cue (n) — сигнал

dam (n) — дамба

ad (n) — объявление

aide (n) — помощник

heir (n) — наследник

isle — (n) — остров   I'll = I will

altar (n) — алтарь

aunt (n) — тетя

ark (n) — ковчег

eight (number) — восемь

bear (v, n) — нести медведь

bee (n) — пчела

beech (n) — бук

beet (n) — свекла

bury (v) — хоронить

birth (n) — рождение

byte (n) — байт

blue (a) — синий

bore (n) — зануда

bored (a) — скучающий

break (n) — перерыв

by (prep) — у, около

cash (n) — наличные

callus (n) — мозоль

Capitol (n) — Капитолий (здание)

carrot (n) — морковь

seed (n) — семя

sell (v) — продавать

scent (n) — запах

course (n) — курс

counsel (n) — совет (пожелание)

queue (n) — очередь

damn (n) — проклятие

dear (a) — дорогой

deer (n) — олень

descent (n) — спуск
происхождение

dissent (n) — инакомыслие

desert (v) — покидать

dessert (n) — десерт

dew (n) — роса

due (n) — должный

die (v) — умирать

dye (n) — краситель

dough (n) — тесто

doe (n) — самка оленя

dual (a) — двойной

duel (n) — дуэль

earn (v) — зарабатывать

urn (n) — урна

elusive (a) — неуловимый

illusive (a) — иллюзорный

faint (n) — обморок

feint (n) — финт

fair (a) — справедливый

fare (n) — плата за проезд

feat (n) — подвиг

feet (n) — ноги

flea (n) — блоха

flee (v) — убегать

fore (n) — передний план

four (number) — четыре

fourth (number) — четвертый

forth (adv) — вперед

fir (n) — пихта

fur (n) — мех

foul (a) — гадкий

fowl (n) — птица

gait (n) — походка

gate (n) — воротка

gorilla (n) — горилла

guerilla (n) — партизан

hall (n) — зал

haul (v) — перевозить

hair (n) — волосы

hare (n) — заяц

hangar (n) — ангар

hanger (n) — вешалка

heal (v) — лечить

heel (n) — пятка

hear (v) — слышать

here (adv) — здесь

heard (v) — слышал

herd (n) — стадо

heed (n) — внимание

he'd = he would

hoarse (a) — хриплый

horse (n) — лошадь

hole (n) — дыра яма

whole (a) — целый

holy (a) — святой

wholly (adv) — полностью

idle (a) — праздный

idol (n) — идол

in (prep) — в

inn (n) — гостиница

knight (n) — рыцарь

night (n) — ночь

knot (n) — узел

not (adv) — не

know (v) — знать

no (adv) — нет

lessen (v) — уменьшать

lesson (n) — урок

lean (v) — наклоняться

lien (n) — долговое обязательство

led (v) — вел

lead (n) — свинец

lone (a) — одинокий

loan (n) — заем

loot (n) — добыча

lute (n) — лютня

made (v) — сделал

maid (n) — служанка

main a) — главный

mane (n) — грива

mail (n) — почта

male (a) — мужской

manner (n) — манера

manor (n) — поместье

marshal (n) – маршал | martial (a) – воинский
meat (n) – мясо | meet (v) – встречать
medal (n) – медаль | meddle (v) – вмешиваться
muscle (n) – мышца | mussel (n) – мидия
naval (a) – морской | navel (n) – пупок
new (a) – новый | gnu (n) – антилопа гну | knew (v) – знал
none (pron) – никто | nun (n) – монахиня
one (number) – один | won (v) – победил
oar (n) – весло | or (conj) – или | ore (n) – руда
pail (n) – ведро | pale (a) – бледный
pain (n) – боль | pane (n) – оконное стекло
pair (n) – пара | pare (v) – чистить | pear (n) – груша
peace (n) – мир | piece (n) – кусок
peer (n) – сверстник | pier (n) – причал
plain (a) – простой | plane (n) – самолет
pole (n) – столб | poll (n) – опрос
pray (v) – молиться | prey (n) – добыча, жертва
principal (a) – основной | principle (n) – принцип
profit (n) – прибыль | prophet (n) – пророк
rain (n) – дождь | reign (v) – царствовать | rein (n) – вожжа
rite (n) – обряд | right (a) – правый | write (v) – писать
role (n) – роль | roll (v) – катить
route (n) – маршрут | root (n) – корень
rye (n) – рожь | wry (a) – кривой
sail (n) – парус | sale (n) – продажа
sea (n) – море | see (v) – видеть
serial (a) – серийный | cereal (n) – хлебный злак
sight (n) – вид | cite (v) – цитировать | site (n) – место
sew (v) – шить | so (adv) – так
sole (n) – подошва | soul (n) – душа
some (pron) – некоторый | sum (n) – сумма
stake (n) – ставка | steak (n) – бифштекс
steal (v) – красть | steel (n) – сталь
son (n) – сын | sun (n) – солнце
suite (n) – анфилада комнат | sweet (a) – сладкий
tail (n) – хвост | tale (n) – рассказ
toe (n) – палец ноги | tow (v) – буксировать
vice (n) – порок | vise (n) – тиски
waist (n) – талия | waste (v) – тратить впустую
wait (v) – ждать | weight (n) – вес
weak (a) – слабый | week (n) – неделя
which (pron) – который | witch (n) – ведьма
whine (v) – ныть | wine (n) – вино

Answers to the Exercises
Ответы на упражнения

Глава 1
Упражнение 1
A. like
B. do
C. see
D. check in
E. make

Упражнение 2
A. pass
B. plenty
C. something
D. overhead
E. counter

Упражнение 3
A. in
B. on
C. on
D. at
E. for

Упражнение 4
A. take
B. accept
C. take
D. holds
E. receives

Упражнение 5
A. Can you keep a secret?
C. Do you promise not to tell?
D. Is the flight delayed?
E. Do they want to return their tickets?

Упражнение 6
A. Does he speak English fluently?
B. Could they find us very quickly?
C. Did he choose a nonstop flight?
D. Was it important to order a meal?
E. Did you come home very late?

Упражнение 7
A. I don't travel alone.
B. I'm not interested in it.
C. I don't feel comfortable doing it.
D. She can't wait.
E. You don't have to show your passport.

Упражнение 8
A. She doesn't feel well.
B. I wasn't able to speak.
C. I didn't order two beers.
D. You shouldn't watch this movie.
E. He didn't sleep during the flight.

Глава 2
Упражнение 1
A. do
B. coming
C. remove
D. help
E. terminate

Упражнение 2
A. transfer
B. next
C. station
D. traffic
E. distance

Упражнение 3
A. from
B. in
C. on
D. from
E. for

Упражнение 4
Λ. making
B. must
C. should
D. could
E. will

Упражнение 5
A   Can I take a taxi to go downtown?
B. Will you transfer from the bus to the train?
C. Is there a gas station near the bank?
D. Did she answer the phone in the office?
E. Were the buses re-routed?

Упражнение 6
A. Ответ: Have you lost your way?
B. Ответ: Were the trains running late?
C. Are the buses always on time?
D. Does the overcrowding get really bad at 34th street?
E. How long does it take to get to Boston from here?

Упражнение 7
A. I won't take the train to Chicago.
B. He doesn't ride the subway to work.
C. She can't take the next cab.
D   The phone number hasn't changed.
E. The conductor wasn't on duty.

Упражнение 8
A. It isn't raining outside.
B. The buses aren't running smoothly.
C. I wasn't able to catch a cab.
D   I didn't drive all the way uptown.
E. You shouldn't have taken the F train.

Глава 3
Упражнение 1
1. is
2. looking
3. going
4. drive
5. was

Упражнение 2
A. dealership
B. blouses
C. credit cards
D. out of stock
E. верно: test drive

Упражнение 3
A. with
B. in
C. in
D. on
E. at

Упражнение 4
A. ried
B. sell
C. made
D. features
E. asking

Упражнение 5
A. offer
B. popular
C. start
D. fill
E. line

Упражнение 6
A. Will the milk and cookies go well together?
B. Have you seen any shoes in this store?
C. Does the sweater suit you?
D Can you take this car for a test drive?
E. Did the perfume give off a powerful scent?

Упражнение 7
A. We wouldn't like to sample the perfume.
B The car didn't break down during the trial run.
C. The blouse didn't look darker than her pants.
D. The perfume didn't leave traces on her clothes.
E. He isn't taking this car for a ride.

Упражнение 8.
A. care-taker
B. can opener
C. eye-opener
D. house breaker
E. hangman

Глава 4
Упражнение 1
A. make
B. answer
C. hang
D. leave
E. hold

Упражнение 2
A. beep
B. customer
C. battery
D. assistance
E. public

Упражнение 3
A. on
B. out

C. with
D. through
E. at

Упражнение 4
A. staying
B. answer
C. put
D. transfer
E. unwanted

Упражнение 5
A. pick up
B. available
C. call
D. install
E. volume

Упражнение 6
A. Is there a payphone in this building?
B. Will he be staying late in the office?
C. How many times did the phone ring?
D. Can you call me later tonight?
E. Has he stepped out for a while?

Упражнение 7
A. in
B. on
C. for
D. for
E. at

Глава 5
Упражнение 1
A. make
B. move
C. prefer
D. accept
E. bring

Упражнение 2
A. steak
B. section
C. meal

D. side
E. separate

Упражнение 3
A. at
B. in
C. for
E. on
F. for

Упражнение 4
A. going
B. jumping
C. going
D. walking
E. running

Упражнение 5
A. Do you like eating out?
B. Can you drink a lot of beer?
C. Is the chicken spicy?
D. Do you always pay the bill?
E. Do they prefer walking?

Упражнение 6
A. I don't like spicy food.
B. I can't eat a lot.
C. I'm not going home.
D. You don't have to eat this.
E. He isn't glad to be here.

Упражнение 7
A. Does he enjoy Chinese food?
B. Could they go to a different place?
C. Was it too late to go?
D. Did she have a good time?
E. Were they very tired?

Упражнение 8
A He doesn't have a big appetite.
B. I wasn't very comfortable.
C. You shouldn't drink this quickly.
D. She didn't go to her favorite cafe.
E. They weren't happy there.

Глава 6
Упражнение 1
A. make
B run
C. check
D. take
E. give

Упражнение 2
A. high
B. painful
C. depressed
D. tests
E. general

Упражнение 3
A. out of
B. into
C. over
D. on
E. by

Упражнение 4
A. bleeds
B. hit
C. threw up
D. the hospital
E. a painkiller

Упражнение 5
A. makes
B. scheduled
C. going
D. taking
E. a nurse

Упражнение 6
A. to
B. from...to
C. up
D. under
E. in

Упражнение 7

A. Has this been going on for a long time?
B. Do older people often suffer from arthritis?
C. Does post-nasal drip make you cough?
D. Has this flu been going around?
E. Can depression cause insomnia?

Упражнение 8

A. I don't like going to the doctor's early in the morning.
B. He can't schedule your surgery as early as you want.
C. I wasn't able to get us a Saturday appointment.
D. She couldn't have done this better.
E. He isn't recovering as fast as they hoped.

Глава 7

Упражнение 1

A. take
B. cover
D. hurt
E. cause

Упражнение 2

A. side
B. nausea
C. generic
D. rash
E. prescription

Упражнение 3

A. out of
B. for
C. with
D. to
E. on

Упражнение 4

A. accept
B. splitting
C. receive

D. taking
E. carry

Упражнение 5

A. travel
B. brand
C. driving
D. going
E. hurt

Упражнение 6

A. painful
B. itchy
C. dizzy
D. moisturizing
E. all-natural

Упражнение 7

A. Does he prefer to use herbal remedies?
B. Did she buy diapers for her baby?
C. Has this medicine help?
D. Does this medication have side effects?
E. Will it be good to find a cure-all?

Упражнение 8

A. They don't carry herbal remedies at that store.
B. She did not go shopping today.
C. It doesn't hurt if you touch here.
D. He doesn't take aspirin for his headache.
E. He hasn't taken this medication yet.

Глава 8

Упражнение 1

A. invest
B. keep
C. owe
D. accept
E. pay

Упражнение 2
A. fixed-rate
B. property
C. pension
D. prepayment
E. check

Упражнение 3
A. at
B. at
C. into
D. from
E. for

Упражнение 4
A. open
B. balance
C. discover
D. start
E. start

Упражнение 5
A. Will he open a checking account?
B. Does he invest in stocks?
C: Did he try to take out a loan?
D: Does my mother own any stocks?
E. Do I owe taxes for this year?

Упражнение 6
A. at
B. at
C. in
D. from
E. on

Упражнение 7
A. Did he invest his money wisely?
B. Did his broker let him down?
C. Did she get a good interest rate?
D. Did our taxes eat us alive last year?
E. Has it been a bear market lately?

Упражнение 8
A. You weren't right when you sold those stocks.
B. He doesn't enjoy playing the market.
C. My friend hasn't been very successful.
D. He doesn't have to pay his creditors.
E. I can't afford to gamble with my money.

Глава 9
Упражнение 1
A. look
B. need
C. looks
D. sending
E. takes

Упражнение 2
A. pay
B. literate
C. extra
D. benefits
E. job

Упражнение 3
A. for
B. to
C. by
D. over
E. with

Упражнение 4
A. team
B. rules
C. opening
D. include
E. expect

Упражнение 5
A. means
B. leaves
C. tools
D. previous
E. miss

Упражнение 6

A. Is his training primarily in electric engineering?
B. Will this be a problem for the human resources department?
C. Could this be too much responsibility for such a young man?
D. Does he think he is going to get promoted quickly?
E. Is she ready and willing to apply for this job?

Упражнение 7

A. out
B. at
C. for
D. for
E. on

Упражнение 8

A. She didn't go to her job interview unprepared.
B. He didn't get enough sleep the night before he started the new job.
C. The company location won't play an important role in my decision.
D. She wasn't seen with her boss at the theater.
E. I didn't take many business trips abroad.

Глава 10

Упражнение 1

A. want
B. own
C. make
D. hired
E. borrow

Упражнение 2

A. suburbs
B. down
C. master
D. sheers
E. labor

Упражнение 3

A. in
B for
C. on
D. at
E. with

Упражнение 4

A. made
B. had
C. took
D. owned
E. took

Упражнение 5

A. Did he decide to buy a house?
B. Did you hire a realtor?
C. Can you apply for a mortgage this month?
D Did he modernize the bathroom?
E. Was the closing delayed?

Упражнение 6

A. Did you get a deal on the house?
B. Does it take a long time to find a home?
C. Did she make a wise choice?
D. Did they buy beautiful curtains?
E. Did he speak to a realtor?

Упражнение 7

A. We didn't prioritize our needs.
B. I didn't paint the walls blue.
C. She didn't hire a contractor.
D. The purchase price wasn't high.
E. They didn't move to a good area.

Упражнение 8

A. We didn't make a smart decision.
B. I didn't understand all details of our contract.
C. He didn't find a good deal.
D. I didn't send a written notification.
E. They weren't given an offer.

Книги и аудиокурсы Виталия Левенталя

Let's Talk American — Говорим по-американски
Комбинация учебника и разговорника,
книга + 3 аудиодиска $49.95

New

Информативный тренинг речи с особой методикой запоминания
Важнейшая лексика, диалоги, работа над произношением

Поэтапное изучение языка
Начальный уровень

Учебник **«Английский язык: Просто о сложном»**
1-й том, дополненный разделом
«Ключ к изучению американских идиом» $9.95

2-й том учебника — тексты, упражнения, разговорник $4.95

Звуковое сопровождение к учебнику:
3 аудиокассеты *или на ваш выбор* $19.95
3 CD $26.95

Средний уровень

«Занимательный английский» Том 1 $9.95
«Занимательный английский» Том 2 $9.95

Аудиокурсы для развития разговорных навыков
Быстрейший путь к хорошей работе и нормальному общению

Средний уровень

«Курс практической разговорной речи» $59.00
(для того, чтобы заговорить правильно)
(укажите — кассеты или диски)

Продвинутый уровень

Курс **«Беседы с Шерлоком Холмсом»** $69.00
(для того, чтобы речь стала живой и полноценной)
Getting Ready to Get a Job
Практикум американской деловой речи $14.95

Доставка книг и аудиокурсов:

В пределах США $3 за первую книгу плюс 50 центов
за каждую следующую книгу или аудиокурс

Из других стран свяжитесь с нами для уточнения
стоимости отправки

Для заказа пришлите чек или м/ордер по адресу:
V. Leventhal, P.O. Box 378, New York, NY 10040

Справки по тел. (917) 470-8565
E-mail address: edulinkpublish@yahoo.com
Наш сайт: www.EnglishMadeSimple.com